Eduardo Mendoza
El secreto de la modelo extraviada

Seix Barral

© Eduardo Mendoza, 2015
© Editorial Planeta, S. A., 2015, 2018
   Seix Barral, un sello editorial de Editorial Planeta, S. A.
   Avda. Diagonal, 662-664, 08034 Barcelona (España)
   www.seix-barral.es
   www.planetadelibros.com

Adaptación de la cubierta: Booket / Área Editorial Grupo Planeta
Ilustración de la cubierta: © Fernando Vicente
Fotografía del autor: © Joan Tomás
Primera edición en esta presentación en Colección Booket: septiembre de 2018

Depósito legal: B. 16.046-2018
ISBN: 978-84-322-3414-9
Impresión y encuadernación: CPI (Barcelona)
Printed in Spain - Impreso en España

I

1

UN PERRO CAPCIOSO

En términos generales, estaba bien. De salud, de memoria y pare usted de contar. En estas condiciones y después de tantas aventuras, debería haber llevado una vida de sosiego, y en ello estaba cuando me mordió un perro y lo echó todo a rodar. Yo iba caminando por la Ronda de San Pablo, diligente y sin meterme con nadie, camino del autobús, a llevar una comanda. Desde hacía cierto tiempo trabajaba en un restaurante chino y me habían confiado aquel cometido por mi doble condición de nativo, y por ende conocedor de la intrincada trama urbana, y de ciudadano con papeles, por si me paraba la poli. Algunos de estos papeles habría sido mejor no tenerlos, pero a ciertos efectos era mejor estar fichado que pertenecer al abultado colectivo de los sin papeles, como le sucedía al resto de los trabajadores de la empresa así como a los socios capitalistas, los proveedores y buena parte de la clientela. Originariamente, el restaurante había sido fundado por una familia modélica en el local que otrora ocupaba un modesto negocio regentado por mí, a saber, una peluquería piojosa en el sentido figurado y no figurado del término. Como parte de la transacción, ingresé en la magra plantilla del nuevo establecimiento, y cuando, unos meses más tarde, la familia en cuestión traspasó el negocio a una importante cadena de restaurantes chinos, también me traspasó a mí en calidad de gerente, cocinero, jefe de almacén, contable, maître y animador en las noches de espectáculo, todo ello naturalmente con carácter nominal, por la ya mencionada cuestión de los papeles, porque, en la práctica, hacía de recadero, fregona, desatascador de desagües obturados, basurero, exterminador de cucarachas y toreador de ratas. No creo que ninguno de estos detalles influyera en la decisión del perro que me mordió, salvo el olor que desprendían los recipientes de cartón que llevaba a portes debidos a un cliente que los había encargado por teléfono. Si bien siento por los perros un miedo y un rechazo congénitos y el que me atacó a traición y me mordió en la pantorrilla era bastante grande, el incidente en cuestión fue cosa nimia, ya que mis empleadores, con fines publicitarios, me obligaban a efectuar los repartos vestido de guerrero de Xi'an, y la armadura, con todo y ser de plástico barato en lugar de terracota, bastó para protegerme de las fauces del perro y dejar a éste desconcertado y sin ganas de repetir la experiencia. Sólo de resultas del susto y el empellón se me cayeron al suelo los envases de cartón y el contenido de uno de ellos se desparramó por la calzada, pero como se trataba del entrante denominado «mejillones macerados pow pow», no me costó recogerlos todos, menos uno que se puso a salvo encaramándose a un árbol, y reintegrarlos a la caja sin menoscabo de su apariencia y su sabor. En esta operación me halló una señora de mediana edad, bien vestida y encrespada, la cual, agitando una correa, exclamó:

—¿Se puede saber qué le ha hecho a mi perro?

—Yo, nada —respondí—. A mí los perros me repugnan.

Esta respuesta debió de tranquilizarla respecto de mis intenciones, porque acto seguido añadió dirigiéndose al perro:

—Malo, malo.

Y de nuevo a mí:

—No sé lo que le puede haber irritado de usted. Hasta ahora *Paolo* sólo mordía a los niños. Nunca a gente mayor, y menos a esperpentos. *Paolo*, pide perdón a este señor.

Paolo separó las patas traseras y depositó un zurullo en el pavimento.

—Bueno —prosiguió la dueña del perro—, asunto concluido. No se le ocurra denunciarlo. *Paolo* no está vacunado y la guardia urbana lo podría requisar. Si me promete olvidar esta tontería le indemnizaré por las molestias. Deme su número de cuenta y le haré una transferencia al llegar a casa.

Tiempo atrás abrí una cuenta corriente en la Caixa, pero la propia entidad la embargó preventivamente en el momento mismo de la apertura.

—Preferiría efectivo —dije.

—Sólo llevo nueve euracos.

—Muy buenos son.

Sacó del bolso un monedero, de éste un billete de cinco y unas monedas y me lo dio. Luego se fue acompañada de *Paolo*. En cuanto me quedé solo anduve dando tumbos hasta un banco desocupado y me senté. Mi mente se había vaciado de los pensamientos que hasta aquel momento la ocupaban por completo (el fútbol) y un torbellino de recuerdos e ideas se arremolinaban en ella dejándome confuso y como en trance. Por ensalmo vime transportado a otro lugar y a otro momento, muchos años atrás, cuando una suma de circunstancias adversas habían dado con mi persona en una institución destinada a albergar más por fuerza que de grado a quienes habían tenido el acierto de agregar a un equilibrio mental inestable una conducta punible y una reiterada incapacidad para convencer a la judicatura de su inocencia...

Una mañana temprano, antes de la ducha y el desayuno, yo había salido al patio del sanatorio a depositar las bolsas de basura de mi pabellón en el contenedor correspondiente, cuando vi venir a Toñito. Era raro que Toñito anduviera suelto a aquella hora, pero todo era raro en Toñito, conque no le di importancia, ni siquiera cuando se me acercó y me dijo:

—Alguien pregunta por ti. En el vestíbulo.

—¿Eh?

No era fácil entender a Toñito. Tiempo atrás alguien lo había visto ensimismado y le había dicho:

—Toñito, si sigues con la boca abierta te vas a comer una mosca.

Él entendió «una rosca» y desde entonces no cerraba la boca ni de día ni de noche, con el consiguiente menoscabo de su dicción. De modo que opté por no indagar más y acudir al vestíbulo para comprobar si de verdad me requería alguien. El vestíbulo era un espacio desnudo donde las pocas visitas que recibían algunos afortunados habían de esperar a ser atendidas. Los fluorescentes que lo iluminaban se habían ido fundiendo hasta dejar la pieza en penumbra. Donde antes colgaba el retrato del Generalísimo había ahora un recuadro vacío y desleído. Unos años atrás, el doctor Sugrañes, en su condición de director del sanatorio, había invitado a Su Majestad el

Rey, a su esposa y al resto de la familia real a pasar un fin de semana en el sanatorio. La respuesta de la oficina de relaciones públicas de la Casa Real pareció al doctor Sugrañes más diplomática que entusiasta, por lo que decidió no colgar el retrato del Rey en el vestíbulo hasta tanto la invitación no hubiera sido aceptada. Y así estaban las cosas todavía. En aquel acogedor ambiente encontré a un hombre al que yo nunca había visto. Era joven, apuesto y robusto; ostentaba un poblado bigote que descendía por ambos lados de la boca y su mirada habría sido incisiva si unas gafas oscuras no la hubieran velado. Vestía americana amarilla, camisa morada y corbata a topos. Seguramente también llevaba otras prendas, pero no tuve tiempo de cerciorarme de ello, pues el desconocido acaparó toda mi atención diciendo:

—Ruego me disculpe por haberle sacado de sus ocupaciones terapéuticas, pero el asunto que me trae aquí ni es para menos ni admite demora. Ante todo, me presentaré. Mi nombre es Rupert von Blumengarten. En realidad me llamo José Rebollo, pero como soy de la policía secreta, siempre utilizo un alias. En su busca, no del alias sino de usted, me envía el comisario Flores.

—¡Pluga al cielo derramar sobre él sus bendiciones! —exclamé hincando una rodilla en tierra, abriendo los brazos y levantando la cara hacia las telarañas que cubrían el techo.

En honor a la verdad, si por aquel entonces un solo deseo me hubiera sido concedido en la vida, éste habría sido encerrar al comisario Flores en un nido de termitas en compañía de una tarántula y un caimán, y no sin motivo. Mi vida y la del comisario Flores habían seguido líneas divergentes y a un tiempo concomitantes: él subía y yo bajaba en una correlación no casual, toda vez que sus méritos solían cimentarse en mis fracasos. Pero como en el momento presente y sin perspectivas de cambio seguían en sus manos el poder y la porra y su intercesión podía contribuir a la revisión de mi sentencia, siempre procuraba mostrarle más devoción que inquina, por lo que añadí sin alterar mi postura:

—¡Y hacerlas extensivas a quien viene en su nombre!

El desconocido me autorizó por señas a levantarme, sonrió con una ligera contracción de los labios y repuso:

—Me consta que el comisario Flores corresponde a sus sentimientos en la misma medida. De los míos no puedo hablar, porque soy de la policía secreta. Y celebro su buena disposición, porque el comisario Flores me envía para encomendarle una misión. Como se trata de una misión secreta, a partir de ahora te trataré de tú. Si alguien nos sorprende, nos daremos un morreo.

No era aquélla la primera vez que la insondable bajeza del comisario Flores le llevaba a recurrir a mis servicios. Lo había hecho antes de mi ingreso en la institución donde ahora me pudría, bajo amenaza de enviarme a la trena, e incluso luego, una vez materializada la amenaza y estando yo encerrado donde a la sazón lo estaba, con la promesa de compensaciones y prebendas que luego nunca se materializaban, por más que yo cumplía mi parte del trato con no poco esfuerzo y riesgo. Escarmentado y enfrentado a una nueva demanda, mi primera reacción fue dar media vuelta y dejar plantado al emisario alegando un brote repentino de ansiedad. O súbitas cagarrinas. O nada, que para eso fungía de orate. Pero refrené aquel impulso y pregunté por la naturaleza del encargo.

—Te la expondré tan pronto salgamos del sanatorio, cosa que podemos hacer sin más trámite, pues en previsión de tu aquiescencia he solicitado y obtenido el permiso del doctor Sugrañes, honorable director de esta ejemplar institución.

Sacó del bolsillo un papel mecanografiado y firmado, me lo mostró y yo lo di por bueno. Nada me permitía dudar de la connivencia del doctor Sugrañes con las autoridades y, en definitiva, la parte administrativa de la cuestión me traía sin cuidado. Poco esperaba ganar accediendo a una proposición que en ningún caso se me habría permitido rechazar, pero tampoco tenía mucho que perder en ello y un breve período de libertad podía brindarme oportunidades que nunca se me presentarían mientras estuviera encerrado. Así que sin mediar palabra nos dirigimos a la puerta que comunicaba el tenebroso vestíbulo con el árido jardín y sobre cuyo dintel un festón proclamaba en letra gótica el lema de aquella noble entidad: POR EL CULO TE LA HINCO. Mi acompañante abrió la puerta con facilidad por su parte y sorpresa por la mía, porque siempre estaba cerrada bajo siete llaves; salimos juntos y recorrimos el sendero, ora polvoriento, ora enfangado, según el clima, y traspusimos con igual expedición la verja de la calle. Allí nos esperaba un coche negro. Entramos. Lo conducía un individuo de paisano, barbado y ceñudo. Mi acompañante se sentó a su lado y yo en la parte posterior del vehículo. Sonaron ominosos los seguros de las puertas. A una indicación de mi acompañante, el conductor se quitó la barba, desarrugó el ceño y partimos. Entonces caí en la cuenta de que no me había despedido de los compañeros ni había tenido ocasión de ponerme ropa decente o, cuando menos, limpia.

2

TRAS LA PISTA DE *TOBY*

El coche se detuvo ante una tapia de piedra alta tras la que asomaban frondosas copas indicativas de haber tras ella el anchuroso y bien cuidado jardín de una mansión. Nos encontrábamos en una calle, empinada y solitaria, del distinguido y por mí apenas hollado barrio de Pedralbes. A uno y otro lado, la calle estaba flanqueada de idénticas tapias, celadoras de idénticos jardines y mansiones, y acababa en la parte superior de la cuesta ante la puerta de entrada de un parque público. El conductor apagó el motor y en el interior del vehículo reinó un silencio sólo interrumpido por las voces de los dos agentes, una de las cuales tenía un timbre grave y la otra agudo, lo que daba una vivacidad a la perorata que no sé cómo transcribir.

—Aquí, en el número 9 de esta calle, defendido por esta tapia de miradas profanas —empezó diciendo uno de los agentes mientras señalaba con el pulgar la tapia—, se encuentra la mansión Los Carlitos, residencia de don Carlos Linier, propietario de Electrodomésticos Linier y

Fornells, hombre de ilustre cuna, preeminencia social y considerable fortuna. Casó don Carlos siendo mozo con mujer de rancio abolengo y menguados caudales, llamada Carlota, de cuya unión nacieron tres varones, bautizados respectivamente Carlos, Charles y Karl, como corresponde a personas políglotas de escasa imaginación. Hará unos diez años, la relación matrimonial se vio alterada por causa natural y razonable: el señor Linier se lio con una chavala de veinte que, casualmente, también se llamaba Carlota. Instado por ésta a regularizar la situación y como por entonces todavía no existía el divorcio en España, el señor Linier interpuso demanda de anulación eclesiástica alegando conducta inmoral y escandalosa de uno de los cónyuges, en este caso la del propio demandante. Al punto fue disuelto el vínculo con efectos retroactivos, quedando exonerado el señor Linier de toda obligación para con su hasta entonces esposa, ahora simplemente fulana, la cual, repudiada por la sociedad, abandonada de familiares y amigos y sin blanca, fue hallada muerta poco tiempo después de pronunciada la sentencia, en una sórdida pensión del Barrio Chino, en circunstancias que hacían sospechar suicidio, pues se halló en la mesilla de noche una nota dirigida a su marido que decía: «Pendejo».

Tomó en este punto el otro agente el hilo del relato en los siguientes términos:

—Despachada la difunta y casado de nuevo el señor Linier con la segunda señora Linier, ahora la primera, continuó como si nada la vida en Los Carlitos, convertida la mansión en escenario de una animada vida social, lugar de encuentro de magnates, dignatarios, intelectuales, artistas y deportistas de élite, que acudían atraídos por el encanto arrollador de la nueva señora Linier y por

17

la suntuosidad y animación de los eventos. Sólo enturbiaba la alegría de la casa la presencia de los tres hijos de la anterior unión, ahora bastardos, que no ocultaban el odio que les inspiraba su madrastra, la cual se lo devolvía con creces, sin escatimar insultos y humillaciones, tanto en privado como en público. Pese a ello, los tres hijos de don Carlos seguían y siguen viviendo en el domicilio familiar, en parte porque ninguno de los tres pega sello, y en parte porque, según rumores no confirmados, la cruel madrastra se entiende con uno de los tres a espaldas de su marido, sin que sepa con cuál.

—Ya ves tú qué panorama —concluyó el primero de los agentes.

—Con estos ingredientes y un poco de talento, se podría escribir una novela de Agatha Christie —apuntó el otro.

—O una miniserie —sugirió el anterior.

Hice ademanes de asentimiento mientras trataba de memorizar unos datos que juzgué vitales para esclarecer los entresijos del crimen. Cuando hube organizado mentalmente aquel turbio organigrama, y como mis acompañantes no agregaran ningún elemento nuevo a una trama tan clásica como sugestiva, pregunté:

—¿Y quién es el muerto?

Los dos agentes me miraron fijamente, se miraron entre sí, bajaron las ventanillas y echaron por ellas sendos escupitajos sincronizados. Luego exclamaron al unísono:

—¿Tú deliras o qué te pasa? Aquí no hay muerto que valga.

—Entonces, ¿yo qué pinto?

—Toma nota: la actual señora Linier tiene un perrito. Anoche una criada lo sacó a pasear y se le escapó. De sesperada, la señora Linier llamó al ministro de Defensa y éste a nosotros.

—Con gusto nos haríamos cargo del caso, pero esta misma mañana alguien ha asesinado a una chica en el barrio de San Gervasio y hemos de ponernos a investigar. Mal asunto: un crimen sin móvil aparente. Al parecer la víctima era una modelo. Joven, guapa, ligera... Esas chicas siempre se meten en líos y a menudo acaban mal —dijo el primero de los agentes.

—Pero todo esto a ti no te concierne —se apresuró a agregar el segundo—. Tu misión es encontrar al perrito y devolverlo sano y salvo a su dueña. Si lo haces antes del anochecer, te darán de merendar y contarás con la gratitud efímera y seguramente rácana, pero nunca desdeñable, de gente influyente. De lo contrario, te moleremos a palos antes de devolverte al loquero. Tú verás.

—¿Dónde se produjeron los hechos? —pregunté resignado.

—El perro se perdió en el parque que hay al final de esta calle. Lo más probable es que aún esté escondido ahí. Será un mimado, incapaz de buscarse la vida. De acuerdo con el retrato robot enviado por los expertos, es pequeño, marrón y se llama *Toby*.

Desbloquearon las puertas, abrí, salí y, sin mediar fórmula de cortesía, eché a andar calle arriba en dirección a la entrada del parque, constituida por un muro de piedra y una verja de hierro alta, rematada por aguzados pinchos. Un letrero indicaba que la verja se cerraba al oscurecer. Ahora estaba abierta de par en par.

Llevaba recorridos unos metros cuando oí al coche arrancar, maniobrar y paulatinamente perderse el ruido del motor en la lejanía. Entonces me di la vuelta: en la calle vacía sólo se oía el piar de los pajaritos y el susurro del follaje mecido por la suave brisa de que gozan los barrios donde vive la gente acomodada. Dirigí nuevamente mis pasos hacia el parque, llegué a la puerta y la crucé. Una escalinata conducía a un primer nivel o planicie, destinada a la infancia y sus juegos inocentes, dotada de columpios, balancines y toboganes y alfombrada de cagarrutas, botellas rotas y jeringuillas. Luego un sendero ascendía serpenteando hasta una segunda planicie que constituía el parque propiamente dicho, con extensos parterres, sinuosos senderos y multitud de árboles que con su noble función clorofílica hacían del conjunto ornato del paisaje, bálsamo del espíritu y amigo de los pulmones. Desde aquel promontorio el visitante podía contemplar la conurbación de Barcelona, el puerto y los barcos atracados en las dársenas, las playas luminosas, los hacendosos complejos fabriles y, más allá, los fértiles campos de labor, los abigarrados bloques de viviendas baratas y la plácida y guarra desembocadura del río Llobregat. En el mar centellaba el sol, ya alto. Dediqué dos segundos a saborear el espectáculo y otros dos a considerar la conveniencia de deshacer el camino tan deprisa como me lo permitieran las piernas hasta llegar al núcleo urbano y perderme en el laberinto de insalubres callejas y oscuros rincones donde no se ve ni se oye ni se comenta lo que allí sucede. Pero no lo hice. No tenía sitio a donde ir ni persona a quien recurrir ni una triste peseta en los bolsillos. En estas condiciones muy poco le costaría a la policía dar conmigo y entonces se extinguiría para siempre la posibilidad de ver mi caso reabierto, mi condena revocada, mi libertad recobrada y mi honor restablecido. Por el contrario, si encontraba al perrito y lo restituía a su dueña, seguramente me darían una gratificación suculenta con la que podría, bien agilizar el lento curso de la justicia untando a quien procediere, bien darme el piro con un poco de parné en la faltriquera. Y si al caer la tarde no había encontrado al perro, siempre estaba a tiempo de darme a la fuga al amparo de la escasa luz crepuscular.

En los barrios ricos la actividad no empieza de madrugada. Debían de ser las diez y en el parque no había un alma, salvo la mía, algo pocha por no haber desayunado. Me congratulé de aquella soledad, que favorecía mi búsqueda, pero no podía perder tiempo si no quería que la afluencia de visitantes la obstaculizara. Di por buena la teoría del agente respecto de la apocada idiosincrasia de un perrito faldero y me puse a recorrer los vericuetos del parque, hurgando entre los arbustos y escudriñando posibles escondrijos, mientras repetía en tono melifluo:

—¡*Toby! ¡Toby!*

Al cabo de una hora sólo había conseguido pincharme y rasguñarme y meter el pie en un estanque cubierto de nenúfares.

Empezaba a perder la fe en el método elegido cuando vi venir hacia mí por un sendero a un hombre de mediana edad vestido con ropa deportiva que a todas luces participaba en una carrera, si bien no parecía tener competidores ni prisa por coronar la meta. Me interpuse en su camino para preguntarle si había visto un perro y él, al advertir mis intenciones, me hizo señas enérgicas para que me apartara. Así lo hice y pasó por mi lado sin aminorar ni incrementar el ritmo de su trote. Supuse que sería un orate y proseguí la búsqueda. Al cabo de muy poco rato vi venir a otro corredor que actuaba del mismo modo, pero en dirección opuesta a la del corredor anterior. Sin tratar de detenerle, le pregunté qué hacía.

—Footing —respondió.

En aquellos años se había impuesto la moda de correr solo y, a decir verdad, algo de eso había llegado a mi conocimiento en el sanatorio, pero nunca había tenido ocasión de contemplar de cerca el fenómeno y menos aún de practicarlo, toda vez que entre mis compañeros de reclusión no gustaban los deportes que no incluían un rival al que vencer a bastonazos.

Pensando que podía sacar partido de aquella insólita afición, me protegí de la curiosidad ajena tras un seto y me quité los pantalones. Los calzoncillos habían sido blancos en sus orígenes, pero sucesivas lavadas y otras desventuras los habían vuelto de un color gris marengo que les permitía pasar por prenda deportiva. El resto de la indumentaria no gozaba de la misma prerrogativa. Pero no tuve tiempo de reflexionar sobre el particular, porque apenas había ocultado los pantalones entre la fronda cuando hizo su aparición un tercer corredor. Lo dejé pasar y le di alcance a grandes zancadas.

—¡Me encanta el footing! —exclamé mientras trataba de ajustar mi velocidad a la suya.

—¡Y a mí! —repuso el corredor con voz entrecortada—. ¿Cuántas millas llevas?

—Ciento veinte —dije al albur, porque no estoy puesto en equivalencias—, y habría hecho más si no se me hubiera interpuesto en el camino un perrito. ¿Usted no habrá sufrido una incidencia similar, por un casual?

—No.

—Pues aquí me quedo.

Paré a recuperar el aliento. La misma operación se repitió dos veces más. El cuarto corredor era un hombre gordo y apoplético que tampoco había encontrado un perro en su esforzado recorrido. El quinto era una chica joven. Como llevaba una camiseta ajustada y el paso ligero imprimía una acentuada oscilación a sus melones, no me enteré de nada de lo que me dijo. El que vino a continuación me halló derrengado. Las zapatillas de fieltro se habían resentido de la fricción y los dedos de los pies asomaban impertinentes por las rasgaduras, y la goma de los calzoncillos se había dado y me veía obligado a correr sujetándolos con una mano. Eso por no hablar del nimbo de sudor, babas, mocos y otros jugos que me circundaba.

—¡Me encanta el footing! —acerté a farfullar.

—¿Y a mí qué? —respondió.

—¿No habrá visto un perro que me ha impedido hacer más millas?

—Sólo he visto uno pequeño atado con una cuerda.

—¿A un poste de la luz?

—No. Al conjunto escultórico.

Se me cayeron los calzoncillos y a renglón seguido me caí yo. Cuando me incorporé, mi interlocutor se había perdido en una revuelta del sendero. Escupí la grava que se me había metido en la boca y decidí ir a comprobar si el perro del conjunto escultórico era el que yo buscaba.

No me costó mucho encontrar ambos objetos. El conjunto escultórico era un monumento formado por tres bloques irregulares de hormigón y una placa de bronce que rezaba:

EL 8 DE MARZO DE 1980
EL CONSISTORIO MUNICIPAL EN PLENO
INAUGURÓ ESTA ESCULTURA
ORINANDO CONTRA EL PEDESTAL

En la parte posterior vi un perro pequeño atado a un saliente con una cuerda. Descartada la hipótesis de que él mismo hubiera intentado ahorcarse, deduje que alguien lo había encontrado vagando por el parque y lo había amarrado para evitar que saliera y fuera arrollado por un vehículo a motor. El perro no llevaba collar y la cuerda era una guita ordinaria. Me acerqué con lentitud y dije:

—¿*Toby*?

Por toda respuesta, el perro abrió la boca y dejó colgar la lengua por un lado mientras agitaba el rabo. Me acerqué más y movió el rabo con más energía. Antes de desatarlo estimé conveniente dejar las cosas claras:

—Mira, *Toby* —le dije—, tú a mí me traes sin cuidado y aborrezco a los perros, pero estoy en apuros y tú también, de modo que nos trae a cuenta colaborar. Si te portas bien, te devuelvo a tu casa y a cambio doy un paso tal vez modesto pero no insustancial hacia la reapertura del procedimiento judicial cuyos errores de interpretación así como de forma estoy padeciendo.

Pareció escucharme con interés y al terminar mi excurso la lengua le llegaba al suelo. Desaté la cuerda del monumento y eché a andar tirando de ella. *Toby* me seguía con alacridad. Como primera medida, regresamos al lugar donde había ocultado los pantalones y estuve un rato buscándolos en balde. O alguien se los había apropiado o yo me confundía de arbusto. Se acercaba el mediodía y el parque se iba llenando de mujeres y niños de corta edad, unos en brazos, otros en su cuco o moisés, otros en cochecitos y otros, por último, en precario equilibrio sobre sus pinreles. No podía seguir pasando por atleta ante aquel colectivo, por lo que decidí prescindir de los pantalones y rematar lo antes posible la faena. En menos de tres minutos perro y yo llamábamos al interfono de la mansión de los señores Linier.

3

PROBLEMAS EN CASA LINIER

Respondió una voz cantarina preguntando la identidad del llamador y la razón de la llamada y al responder yo que traía algo para la señora, crujió el cierre y se abrió unos milímetros la verja de hierro. La empujé, cedió y entramos. Un caminito de grava entre macizos de flores nos condujo hasta la puerta de la casa, donde ya nos esperaba una sirvienta o doncella con falda y blusa negra, delantal blanco y cofia almidonada. A distancia expelía un aroma de ropa limpia que habría bastado para diluir mi aplomo de haber tenido alguno.

—¿En qué puedo servirle? —preguntó.

Alejando de mí las fantasías provocadas por la salaz pregunta, señalé al perro y dije:

—Vengo por lo de *Toby*.

—Bueno, pase.

Entramos en un amplio recibidor con suelo de mármol blanco, mullida alfombra y cuadros de gran tamaño colgados de las paredes. Una escalera recta, con doble barandilla dorada, llevaba a la segunda planta. En aquel templo del boato y la pulcritud se habrían volatilizado los rescoldos de mi autoestima si apenas cerrada la puerta del jardín por la doncella a mis espaldas no hubiera surgido en lo alto de la escalera un hombre joven y bien parecido en calzoncillos, camiseta y calcetines, que, ajeno a mi presencia, increpó a la doncella en desabrido tono.

—¡Blancaflor! ¿Se puede saber dónde demonios está mi uniforme de *stormtrooper*?

—En la tintorería, señorito —respondió la doncella con voz clara y respetuosa, pero sin asomo de temor ni desconcierto.

—¡En la tintorería! —repitió el joven del exiguo atuendo—. ¿Y quién demonios dio la orden de llevar mi uniforme de *stormtrooper* a la tintorería?

—La señora, señorito —respondió la doncella—, con el pretexto de que tenía manchas de huevo y olía un poco mal. Lo tendrán listo el martes de la semana que viene.

—¡Sí, vaya, el martes! Y hoy, ¿qué me pongo? He quedado con el grupo dentro de una hora para ir a pegar a bolcheviques y otros extranjeros.

—Ayer —dijo la doncella— trajeron de la tintorería el traje de Pierrot. Lo encontrará colgado en el clóset.

—De Pierrot, ¿eh? ¿Y no parecerá poco serio?

—No, señorito. En el baile de disfraces estaba usted muy resultón.

Tranquilizado con esta solución al problema de la indumentaria, se retiró el joven y volvimos a quedarnos solos en el vestíbulo la doncella, *Toby* y yo. Suspiró ella como quien ha concluido una etapa de una larga tarea y puso de nuevo en nosotros su atención.

—Espere aquí —dijo encaminándose a la escalera—. Voy a buscar a la señora.

Cuando se hubo ido solté a *Toby* y me guardé la cuerda en un bolsillo de la chaqueta del chándal, no pudiendo hacerlo en uno del pantalón que no llevaba. En esta operación me sorprendió la entrada de otro joven, de facciones parecidas a las del anterior, pero enteramente vestido con ropa deportiva de buen paño, que venía del jardín. Al verme se detuvo, me miró con recelo y dijo:

—¿Usted es el que viene a arreglar el Nissan Patrol? Lo digo porque si es el que viene a arreglar el Nissan Patrol ya se puede ir por donde ha venido. Anoche lo perdí en una partida de póquer. Quise hacer un farol pero se me notó porque me dio la risa floja. Además, en la mesa había un trío de reinas y una escalera. No sé si el seguro cubre esta incidencia.

Consideró un rato esta posibilidad y luego, bajando la voz y adoptando un aire confidencial, añadió:

—No hace falta contarle todo esto a mi padre. Mi padre es el señor Linier, propietario de Electrodomésticos Linier y Fornells. Si no le decimos nada, a lo mejor no nota la falta del Nissan Patrol. Y si la nota, le diré que me lo robaron. O que se lo llevó una riada. No, que se lo llevó una riada con los ladrones dentro. Les está bien empleado, por robar. Bueno, adiós.

Salió por una puerta lateral mientras la doncella bajaba por la escalera.

—La señora le atenderá en unos instantes —me dijo al llegar abajo—. Ahora está ocupada.

No especificó la índole de la ocupación que retenía a la señora, pero del piso superior llegaban voces encrespadas que iban subiendo de volumen y culminaron en una cascada de feroces e hirientes insultos.

—¡Sabandija orejuda!

—¡Víbora cursi!

—¡Nariz de butifarra!

A este dramático intercambio de escarnios siguió un golpe seco, un breve silencio, un estampido y un nuevo silencio. Miré a la doncella y ella me devolvió una mirada inexpresiva y una media sonrisa inescrutable. De no haber estado ella a un nivel social tan superior al mío le habría preguntado si tenía plan aquella tarde.

Un tercer joven con el mismo aire de familia de los precedentes y vestido con pantalón corto, polo y zapatillas deportivas de un blanco impecable bajaba la escalera entre desenvuelto y titubeante. En una mano llevaba una raqueta de tenis y con la otra se apretaba el costado, del que manaba sangre en profusión. Pasó por mi lado como si no me viera, abrió la puerta del jardín y antes de salir volvió la cabeza y dijo a la doncella:

—Blancaflor, si preguntan por mí, estoy en clase de tenis. Antes o después pasaré un momento por el hospital para que me extraigan la bala. En todo caso, no me esperen a comer.

—Muy bien, señorito —respondió la doncella.

El joven tenista salió y cerró la puerta. Al volvernos, atraídos por unos rumores desacompasados, vimos descender la escalera, entre majestuosa y titubeante, como diciendo: «¡aquí estoy yo!», y pensando: «¡hostia, que me la pego!», a una mujer esbelta, envuelta en una bata larga de satén azul pastel y calzada con chinelas doradas de tacón alto. Debía de contar entre veinticinco y treinta años, su figura era grácil, su porte, seductor, su actitud, insinuante, y la hermosura de sus facciones apenas quedaba menguada por unas enormes gafas oscuras que trataban en vano de ocultar moretones y magulladuras de reciente adquisición y que, en la penumbra reinante, la obligaban a sujetarse a la barandilla para no dar un traspié, acabar el recorrido dando tumbos y añadir nuevos hematomas a los que ya exhibía.

Al llegar abajo agitó la melena y dijo con voz melosa:

—Maricel, ¿quién pregunta por mí?

—Me llamo Blancaflor, señora —corrigió la doncella.

—¿Y a mí qué más me da? —fue la respuesta.

—Disculpe la intromisión, señora —intervine yo tratando de abreviar en lo posible mi estancia en aquella casa—. Usted no me conoce, pero vengo a restituirle su adorable chucho.

Dirigió la cara hacia el lugar de donde partía mi voz y levantó la barbilla en un gesto altanero.

—Yo no necesito que me restituyan nada —murmuró—, y menos lo que usted insinúa, maleducado.

—Trae un perrito, señora —dijo la doncella señalando a *Toby* con el índice.

Para comprobar la veracidad de esta información, la señora levantó ligeramente las gafas oscuras, dejando al descubierto un ojo a la funerala, y con el otro siguió la ruta marcada por el dedo de la doncella hasta posarse en *Toby*, tras lo cual emitió un breve y agudo chillido y exclamó:

—¿Qué es esto?

—Su perrito, señora —dije yo.

La aludida volvió a colocar las gafas sobre el puente de su fina naricita y dijo:

—Yo no tengo perro, y si lo tuviera, no sería esta mezcolanza infestada de pulgas y garrapatas. ¡Marcapasos —agregó dirigiéndose de nuevo a la sirvienta—, saca ahora mismo a esta basura de mi casa! ¡Y a este tiparraco también!

—Señora —imploré—, no me haga expulsar sin haberme escuchado. Yo no sé nada de la tintorería ni del

Nissan Patrol ni he oído un disparo. Ni siquiera el perro es el motivo de mi presencia aquí. En realidad, salgo de un sanatorio mental, pero tengo interpuesto recurso de apelación al haberme sido rechazado el de alzada y estoy preparando el de casación por si fuere menester.

—¡Oh, no! —gritó la señora, que indiferente a mis fundamentos de derecho había vuelto a fijar su ojo útil en *Toby*—: ¡El muy impudente separa las patas! ¡Monalisa, trae un cuchillo de cocina y mátalo antes de que haga sus cositas en la bucara!

—Ni hablar, señora, que soy budista y no puedo hacer daño a los animales.

—Pues avisa a la policía y que le vengan a dar el tiro de gracia. Di que llamas de parte de la señora Linier, la esposa del señor Linier, el dueño de Electrodomésticos Linier y Fornells. Y tú ya te estás saliendo de esa secta o quedas despedida.

—Ja, mi novio es laboralista.

Consideré llegado el momento de hacer mutis. Aprovechando que ama y sirvienta iban a estar previsiblemente enzarzadas por un rato en su ten con ten, abrí la puerta del jardín. En el umbral se me ocurrió chistar:

—¡Vamos, *Toby*!

Luego, sin tardanza y sin volver la vista atrás, eché a correr por el senderillo de grava con el perro en los talones. Juntos franqueamos la verja y salimos.

Dos coches patrulla bloqueaban la calle. Me asombró la prontitud de su llegada y el despliegue de efectivos para retirar de la circulación a un perro callejero, pero no me precio de entender la escala de prioridades de las fuerzas del orden, por lo que me limité a susurrar:

—Corre, *Toby*, vuelve al parque, de donde no deberías haber salido. Yo los entretendré.

Entendiera mi admonición o siguiera su instinto, el perrito salió a escape, pasó por entre las piernas de los agentes uniformados que bajaban del vehículo y desapareció calle arriba en un abrir y cerrar de ojos. Mientras tanto, me dirigí hacia los agentes con mi mejor sonrisa y dije:

—Sólo se trata de una fruslería, amigos. ¿En qué puedo servirles?

Sin corresponder a mi afabilidad, desenfundaron al unísono sus armas, me apuntaron con ellas y uno gritó:

—¡Estás rodiau!

Y otro, a mis espaldas:

—¡No tiés capatoria!

Y un tercero:

—¡Las manos ande podamos de verlas!

Levanté los brazos bien altos y sin deponer el talante festivo, insistí:

—No hay para tanto, chavales, sólo es un pobre perro canijo y asustado.

—El susto te lo voy a dar yo a tú si no te callas —retrucó el que parecía tener bajo su mando la operación.

A una orden suya, se acercaron dos agentes sin dejar de apuntarme. Me cachearon, bajé las manos, me esposaron, me hicieron entrar en uno de los coches a tortazo limpio y arrancó la comitiva. Por la ventanilla vi discurrir una vez más las animadas calles de Barcelona hasta que el coche se detuvo finalmente ante la conocida fachada de la Jefatura Superior de Policía, sita en el número 43 de la Vía Layetana.

—La cabra tira al monte —exclamó el comisario Flores al entrar en el cuartucho donde me habían depositado y donde llevaba esperando más de una hora. Le acompañaba un individuo cargado con una máquina de escribir portátil, un montón de folios en blanco y una caja de papel carbón. Cuando lo hubo dispuesto todo para levantar acta, el comisario Flores dio unas chupadas al resto del puro que le salía del bigote y dirigiéndose al individuo dijo:

—A ver, Asmarats, escribe: En Barcelona a tantos de tantos, etcétera, el detenido confiesa ser culpable de lo que se le imputa. —Y dirigiéndose luego a mí—: Venga, firma y nosotros nos ahorramos tiempo y papel; y tú, alguna caricia.

—Comisario Flores —dije—, le juro que yo no sabía que *Toby* no era el perro de la señora Linier, ni que tuviera pulgas.

—No sé de qué perro hablas —dijo el comisario—. Tú declárate culpable y yo me voy a mi tertulia machista, xenófoba y extraparlamentaria.

—¿Culpable de qué, señor comisario?

—¿De qué va a ser, idiota? —dijo el comisario—: de asesinato.

Por unos segundos confieso haberme quedado sin habla. Luego acerté a murmurar:

—Con el debido respeto, señor comisario, no sé a qué se refiere.

El comisario Flores arrojó el resto del puro contra la pared, a la que se quedó adherido.

—¡Ay mísero de mí, joder, ay infelice! —exclamó haciendo gala de su proverbial erudición—. Los Cohibas decomisados no tiran y los criminales se han vuelto respondones. ¡Esto no pasaba en los buenos tiempos!

Y haciendo una leve inclinación hacia el retrato de Su Majestad el Rey, que presidía el cuchitril, agregó:

—Mejorando lo presente.

—¿Hago constar en el escrito su certera crítica y, no obstante, su adhesión inquebrantable, señor comisario? —preguntó el encargado de levantar acta.

El comisario Flores fulminó con la mirada a su ayudante.

—Asmarats, no te pases de listo —dijo. Y luego a mí—: Sabes muy bien a lo que me refiero, crápula.

—No será del asesinato de una modelo en el barrio de San Gervasio —dije yo.

—Jope, señor comisario —saltó el llamado Asmarats tableteando furiosamente en la máquina—, menudo desliz incriminatorio. ¿Cómo sabe éste que la víctima es una modelo asesinada en el barrio de San Gervasio? Esto es lo que yo llamo un desliz verdaderamente incriminatorio. Señor comisario, ¿puedo escribir que el culpable cometió un desliz verdaderamente incriminatorio?

—Tú escribe lo que te dicte y no me toques la pera, Asmarats —dijo el comisario. Y a mí—: Y tú, ¿cómo sabes lo de la modelo y el barrio? ¡A ver!

—Se lo oí comentar a los agentes que vinieron a buscarme al sanatorio en nombre de usted, señor comisario.

Relaté lo ocurrido en la mañana de aquel mismo día. Al término del relato, el comisario se rio de medio lado y desenfundó un nuevo puro. Después de encenderlo me espetó que todo cuanto yo le acababa de decir era una trola. Ni había llegado orden ministerial alguna referente a un perro perdido ni él había enviado agentes en mi requisitoria. Por el contrario, el doctor Sugrañes en persona le había llamado para informarle, como director del centro, de mi desaparición, ocurrida entre las siete y las ocho horas del día de autos, o sea hoy, con arreglo al testimonio claro y preciso de un tal Toñito, hombre cabal y de toda confianza, el cual había afirmado, bajo los efectos del pentotal y un buen manguerazo, no haberme avisado de la presencia de un extraño, o lo había negado, según entendiera la pregunta.

—En conclusión —dijo el comisario—: te fugaste antes de las ocho, cometiste un asesinato, que el forense fija sobre las diez horas, y, no contento con eso y con un torpe afán de inventarte una coartada, te presentaste en casa de los señores Linier exhibiendo un perro tiñoso. Asmarats, ¿lo has escrito tal cual?

—No, señor comisario. No he escrito nada, siguiendo sus gratas órdenes.

—Asmarats, te la estás ganando.

—Disculpe, señor comisario —intercalé—. ¿Dice usted que el asesinato se cometió a las diez? Lo digo porque yo oí a los fingidos agentes comentar el asesinato a poco de abandonar el sanatorio, es decir, unos minutos después de las ocho. ¿Cómo se explica eso?

—Ni puta idea, hijo. Si acaso, explícalo tú —dijo el comisario con retintín.

—¿Pongo «con retintín», señor comisario? —preguntó Asmarats.

Mientras debatían este punto, tuve tiempo de reflexionar. De los datos aportados por el propio comisario Flores, deduje que la cosa estaba fea. Si ambos agentes me habían dado noticia de un crimen con anterioridad a su comisión, era evidente que ellos mismos se aprestaban a cometerlo o estaban en connivencia con el asesino, y que todo lo demás era un montaje encaminado a cargarme el mochuelo. Lo del perro sólo había sido un ardid para tenerme entretenido unas horas en un parque solitario, sin testigos y por ende sin coartada, mientras uno de ellos, ambos u otra persona perpetraba el crimen, hecho lo cual les había bastado con llamar al 091, denunciarme e indicar el lugar donde se me podía localizar. En resumen, una patraña que el comisario Flores había dado por buena con mal disimulado alborozo.

—Comisario —protesté cautelosa pero firmemente—, la acusación no se sostiene y usted, con su legendaria perspicacia, por fuerza ha de convenir en ello. Soy incapaz de hacer daño a nadie y si lo fuese, no tendría motivo para hacérselo a una chica a la que ni siquiera conozco.

—Un pervertido como tú no necesita motivo —replicó el comisario Flores—. Tampoco lo tenías para fugarte, ni para montar el número del perro. Pero los hechos son los hechos: te fugaste Dios sabe cómo y a la primera ocasión estrangulaste a una chica inocente con la cuerda que llevabas en el bolsillo de la chaqueta en el momento de ser aprehendido. Asmarats, ¿has hecho constar el hallazgo de la cuerda en posesión del interdicto?

—Sí, señor. A la espera de su plácet, he puesto: «Al ser trincado le asomaba por un bujero el hábeas corpus».

—Bastará —dijo el comisario Flores—. Y con esta prueba concluyente da fin el careo. Has tenido ocasión de defenderte como manda el reglamento. Ahora firma.

Arrancó el papel del carro, me lo puso delante y me tendió un bolígrafo.

—No me hará confesar algo que no he hecho —dije cruzando los brazos y cerrando los ojos, porque sabía que me venía un cachete—. Hago constar que me ampara la Constitución, el Tribunal de Estrasburgo, la Convención de Ginebra y el Estatut.

—Y yo hago constar que ahora mismo te voy a meter este florilegio jurídico por donde tú sabes. ¡Asmarats, tráeme los trastos de matar!

El funcionario, privado de papel, miraba el techo. Al ser interpelado, bajó la mirada y dijo:

—Le recuerdo, señor comisario, que un sector de la opinión pública cuestiona sus métodos.

—¡Me cago en el 20-N! —bramó el comisario Flores—. ¿No me han encomendado el orden público? ¿Qué coño esperan que haga?

—Un trato —apunté viendo hacer agua la vía legislativa—, un trato mediante el cual podremos resolver el caso a mayor gloria de usted y sin menoscabo de las garantías establecidas en nuestro ordenamiento jurídico. Antes de arrearme, permítame esbozar el plan. He estado pensando en lo ocurrido y creo saber quién cometió el delito, cómo y por qué, y puedo demostrarlo de un modo incontrovertible. Pero para ello necesito recobrar algo que se quedó en el bolsillo de mis pantalones, los cuales oculté en el parque colindante con la mansión a cuya puerta fui apresado. Si me autoriza a volver al parque, demostraré mi inocencia y le entregaré al verdadero culpable en bandeja, señor comisario. Si en ese momento usted no queda satisfecho, yo firmaré la confesión tal y como está redactada, admitiendo explícitamente no haber sufrido coacción física o moral por parte de los representantes de la ley.

Durante unos segundos mi vida estuvo pendiente de un hilo. El comisario Flores me miró con el ceño fruncido, miró a Asmarats y luego concentró la mirada en el puro como si esperase recibir consejo del valioso habano. Finalmente exhaló un hondo suspiro y clamó:

—¿Quién había de decirme que me vería en semejante tesitura? ¡Yo, pactando con el hampa! Ay, cualquier tiempo pasado fue mejor, como dijo el poeta en las coplas a la muerte de su puto padre. ¡En fin, no se hable más! Te doy dos horas para hacer eso que dices. Irás a ese puto parque, pero esposado y acompañado de dos agentes con orden de pegarte un puto tiro a la mínima. ¿Estamos?

—No se arrepentirá de su decisión, señor comisario.

El más inocente y desavisado lector habrá captado que mi propuesta no era sino un artificio encaminado a salir de aquel infausto edificio, poner tierra por medio, ganar tiempo y esperar a que el azar me ofreciera algún medio de salir indemne del atolladero en que me había metido sin saber cómo. Con este propósito entraba al cabo de un rato en un coche grande, desvencijado y maloliente, reliquia del parque móvil relegada a misiones de media o baja gallardía, como la presente, en compañía de dos agentes uniformados, uno de cierta edad, feo, mal afeitado, bajo, tripudo y paticorto, y otro joven, guapo, alto y de atlética complexión, respectivamente llamados Pelayo y Marcial.

Declinaba la tarde cuando nos apeamos en la señorial y pina calle cuya mera existencia yo ignoraba la víspera y ahora visitaba por segunda vez en un mismo día.

Habíamos andado unos pocos metros en dirección al parque los tres ocupantes del vehículo cuando me detuve, miré en todas direcciones con fingida desconfianza y dije a media voz sin dirigirme a ninguno de los dos agentes en particular para no manifestar preferencias ni establecer prelaciones:

—Como azotes del crimen organizado, ustedes saben mejor que nadie que estos barrios señoriales, aparentes oasis, están infestados de atracadores, descuideros, saqueadores y otros bergantes, y no querría que por mi culpa, a la vuelta, nos encontráramos que al coche le han mangado las cuatro ruedas y hecho de ustedes el hazmerreír del cuerpo policial.

Se miraron entre sí los agentes y el veterano Pelayo dijo a su juvenil compañero:

—Ve tú, Marcial. Yo me quedo a custodiar el buga. Pero no me le pierdas de vista.

Habría preferido que se hubiera quedado el joven, pero al menos me había deshecho de la mitad de la escolta. En el parque todavía jugaban algunos niños bajo la solícita vigilancia de sus madres o sus chachas, todas las cuales, al verme pasar esposado, andrajoso, cabizbajo y custodiado por un guardia, me señalaban y se servían de mí para admonición y advertencia de los peques.

Al llegar al lugar donde aquella mañana había ocultado los pantalones, dije a mi acompañante:

—Como le dije al comisario Flores, la clave del enigma está en un bolsillo de los pantalones. El problema estriba en que no recuerdo dónde los he escondido. Como queda poco rato de luz y para doblar el rendimiento de nuestros esfuerzos, le sugiero que busque por allí mientras yo busco por allá.

Asintió y nos separamos. Apenas me había alejado unos pasos le oí gritar:

—¡Ya los tengo! ¡A esto le llamo yo chamba!

—Enhorabuena, agente —dije con fingida alegría.

Para mis adentros maldecía mi suerte y su estampa. El plan original consistía en separarnos con el pretexto de peinar la zona y, alejados un trecho uno del otro, salir corriendo y perderme por los vericuetos del parque, que él desconocía y yo había tenido ocasión de explorar por la mañana, hasta quedar a salvo en la penumbra del crepúsculo. Ahora, sin embargo, habría sido insensato intentarlo, siendo él brioso y yo raquítico y estando él bien comido y yo en ayunas.

—Bueno, pues deme mis pantalones —dije.

—Ni hablar. Forman parte de la prueba pericial.

Me encogí de hombros aparentando conformidad y emprendimos el camino de regreso; yo remoloneando y él usando la porra de acicate, para mayor edificación y entretenimiento de los bebés que, alentados por sus madres, se disponían a arrojarme piedras, palos, biberones e incluso sus abyectos pañales.

Daba por perdidas todas mis esperanzas cuando, apenas iniciada la travesía, oí a mis espaldas el ruido producido por un brusco movimiento de la vegetación, acompañado de un gruñido y seguido de un gran estrépito y profusión de injurias, amenazas y juramentos. Volví la cabeza y vi a mi guardián en el suelo, buscando a tientas la porra que había dejado caer a consecuencia del sobresalto y el atropello, con intención de repeler el ataque de un animal diminuto pero muy animoso y persistente. De inmediato reconocí a *Toby* y supuse que el honorable animal me había identificado e interpretado acertadamente lo apurado de mi situación y, quizá por creerse en deuda conmigo al no haberlo abandonado en la mansión donde querían destriparlo y haber facilitado luego su escapatoria de los policías enviados a detenerme, había abandonado la seguridad de su madriguera para venir en socorro mío. Huelga decir que todo esto lo pensé mientras corría zigzagueando entre los bebés.

Poco duró el combate entre el hombre y la fiera, dotados ambos de parecida inteligencia, pero de más recursos tecnológicos el primero. En unos instantes cesó el fragor de la contienda. Quise creer que *Toby* había soltado su presa y se había ocultado de nuevo en la espesura. Yo corría con toda mi alma a sabiendas de que no podía salir del parque sin caer en manos de Pelayo ni seguir corriendo por el parque sin ser atrapado por Marcial. Pero la suerte, que un rato antes me había sido esquiva, se mostró propicia. Por una revuelta del sendero vi aparecer a un hombre maduro y de porte gentil que cuidaba madurez y porte haciendo footing. Me coloqué a su lado y dije:

—¡Me encanta el footing!

—No lo parece —respondió sarcástico.

—¿Ah, no? Pues te echo una carrera hasta la salida.

—Vale.

Apretó el paso. Ni siquiera traté de mantener su ritmo. A los dos segundos ya me había rezagado no sé cuántos metros. Salí del sendero y me escondí detrás de un árbol. El agente que me perseguía avistó un sujeto que corría sin pantalones y fue tras él. Mi rival, advertido por el ruido, aceleraba la marcha. Los perdí de vista y oí gritar a Marcial:

—¡Pelayo, vigila, que va hacia el coche!

Y a Pelayo responder:

—¡Oído barra!

Preferí no saber cómo acababa la secuencia. Lo importante era salir del parque sin caer en manos de los guardias. Éstos no tardarían en darse cuenta de su error y entrarían a buscarme o, para más seguridad, me esperarían a la puerta, siendo ésta, según me habían dicho, la única entrada y salida del parque. Caminé en dirección opuesta a la entrada hasta tropezar con la pared que circundaba el parque, la fui siguiendo y no tardé en dar con un lugar donde la irregularidad del terreno permitía escalar la pared y saltar a un desmonte repelado. Por él anduve tan deprisa como pude para salir de allí sin extraviarme ni lesionarme, porque casi no había luz y el terreno era accidentado, con hoyos y promontorios, entre los que se acumulaban neveras viejas, rotas y oxidadas, así como lavadoras, secadoras, estufas, calentadores, hornos, microondas, extractores, cocinas de vitrocerámica y otros artículos de uso doméstico tiempo atrás alegría del hogar, símbolo del progreso y paradigma del consumo, y ahora execrables desguaces y dinámicos agentes de la contaminación y la fealdad ambientales.

No sin golpes y moretones reingresé en la periferia urbana. Una calle solitaria y mal iluminada me llevó a otra más habitada y así, poco a poco, fueron apareciendo vehículos, peatones, tiendas y bares, hasta que me vi envuelto en el bullicio ensordecedor y la febril aglomeración que tanto gustan a quienes visitan Barcelona por primera y última vez.

4

LA SEÑORITA WESTINGHOUSE

Procedente de un distrito donde la opulencia tenía su aposento, la plaza del Mocarro, situada en una parte mala del Raval, se me antojó más lóbrega, mezquina y pestilente de como yo la recordaba, y es probable que lo fuera. Era noche cerrada cuando llegué allí y, a diferencia de otras zonas, donde la actividad menguaba hasta cesar con el ocaso, en aquélla, amodorrada en horas laborables, aumentaba con la nocturnidad de un modo desaforado. Portezuelas y ventanucos débilmente alumbrados ofertaban heterogéneas modalidades de vicio y resonaba un afinado coro de insultos, amenazas, aullidos, blasfemias, carcajadas y gritos.

Ajena a esta polifonía, mi hermana Cándida dormitaba despatarrada en la acera, con la espalda recostada en una bolsa de basura. Antes de aproximarme a ella, me aseguré de que la policía no se me había adelantado: si me buscaban, era lógico pensar que tarde o temprano acudirían a la única persona que podía brindarme alguna ayuda. Luego, como no parecía haber peligro, me puse a su lado y le di unos puntapiés en las costillas. Cándida se levantó vivaracha y sonriente.

—¡Salgo del Liceo, agente! —dijo—, ¡estoy esperando un taxi!

—No grites, Cándida —la conminé—. No soy la poli.

No veía tres en un burro, pero reconoció mi voz. Atajando los improperios que germinaban en su mente, me apresuré a añadir:

—Mentiría si dijera que no me buscan. Tampoco me he fugado del sanatorio, en contra de las apariencias. Ya te lo explicaré con calma. Pero ahora me has de ayudar. Vengo de los barrios altos y he cruzado la ciudad de punta a punta corriendo y proclamando que me encanta el footing en cada esquina para no llamar la atención. No he ingerido nada desde ayer y estoy derrengado.

—¿Por qué? —preguntó. Era evidente que sólo había escuchado la primera oración del párrafo anterior.

—¿Por qué me buscan? Por una bobada. Un simple malentendido. Por favor, vamos a tu casa. He de esconderme, comer y descansar.

Obtusa y cicatera, me costó convencerla de que en aquella ocasión, por contraste con otras similares, su desinteresada ayuda no le haría dar con sus huesos en el calabozo.

—Está bien —claudicó—, pero tendrás que esperar a que termine la jornada. A estas horas empiezan a venir los clientes más rumbosos.

Pobre Cándida. El cliente más rumboso que tuvo fue un fulano que después de robarle el bolso le dio diez pelas para que pudiera comprarse un bocadillo. Se lo recordé, derramó unas lagrimitas y, yo arrastrando los pies y ella renqueando, emprendimos camino hacia el fondo del

44

angosto y mal ventilado callejón donde compartía morada con una amiga tras haber sido desahuciada de sus anteriores habitáculos. Esta triste circunstancia me favorecía, porque al estar realquilada, la policía no la debía de tener localizada.

—Te encantará mi compañera de piso —dijo una vez dentro, mientras ahuyentaba a escobazos el aviario que se había colado por las ventanas sin cristales—. No quiero meterme a casamentera, pero me da el pálpito de que haréis muy buena pareja.

Cándida cultivaba un romanticismo cuya sensiblería corría parejas con la idiocia. La compañera de piso, que llegó a poco de haberlo hecho nosotros, resultó ser un travesti de mi misma edad y estatura, enteco de carnes y cargado de espaldas. Al despojarse de la peluca, dejó al descubierto una calva brillante y el maquillaje no conseguía ocultar la sombra de una barba incipiente. Entró haciendo mostración de un talante jocundo y vocinglero, pero depuso esta actitud apenas hubo cruzado el umbral y cerrado la puerta. En privado era taciturna y dada a la melancolía y su trato, formal y circunspecto. Cuando Cándida le hubo dado razón de mi presencia, me estrechó la mano, dobló una rodilla en tambaleante reverencia y me tendió una tarjeta de visita que decía:

Señorita Westinghouse
Se hacen *jobs* a domicilio

Le devolví la tarjeta, la guardó en el bolso y me explicó que su nombre artístico procedía de un anuncio que había visto siendo aún niño en la revista *Life*: un ama de casa americana en una cocina amplia, limpia y luminosa, el compendio de lo que ella habría deseado ser en su vida.

Más tarde descubrió que el nombre que figuraba en el anuncio no era el de la señora, sino el de la nevera que aparecía en segundo término, pero para entonces ya formaba parte de su propia identidad y así era conocida en el mundo entero. Su identificación con la protagonista del anuncio se extendía al idioma: en su actividad profesional había adoptado la lengua inglesa, convencida de que para prosperar, tanto a nivel individual como a nivel de país, debíamos abrirnos al comercio internacional. En esto, como en todo lo demás, siguió diciendo, chocaba con la cerrazón y el provincianismo del entorno. Desde que la VI Flota había dejado de fondear con regularidad en nuestro puerto, las relaciones mercantiles con extranjeros habían disminuido de un modo alarmante, y en aquel momento nadie creía que la ciudad de Barcelona pudiera convertirse jamás en un polo de atracción turística. En aquel momento dictaminó, Barcelona sólo era un obstáculo para la circulación de vehículos en la ruta que comunicaba la próspera pero sombría Europa con las cálidas playas del sur. Ante esta penosa situación, prosiguió diciendo, ni las autoridades locales ni la ciudadanía parecían dispuestas a reaccionar, no había ideas renovadoras ni el empuje necesario para llevarlas a término, y si una mostraba iniciativa y atrevimiento, al punto se veía condenada al ostracismo. La gente era reacia a la mudanza. Ella misma, concluyó la señorita Westinghouse, era un ejemplo viviente de este fenómeno.

Pese a su necedad, Cándida había acertado al anunciar que su compañera de piso y yo congeniaríamos. Transcurridos unos minutos de su llegada, la esmerada educación de la señorita Westinghouse y su talante discreto, tan similar al mío, ya habían creado entre nosotros vínculos de simpatía, en vista de lo cual, enviamos a Cándida a la cocina para que no estorbara y nos quedamos charlando animadamente. No pasó mucho rato antes de que le expusiera al detalle mi comprometida situación. La señorita Westinghouse escuchó con atención y al finalizar yo el relato, lanzó un suspiro y dijo:

—Tu historia me ha conmovido y haré cuanto esté en mi mano por ayudarte. De dinero ando escasísima, pero tengo ropa masculina y te puedo prestar algunas prendas. No sé si será tu estilo, porque de mujer, voy de lagartona, pero de hombre, estoy más bien *in the twilight zone*. En cuanto al asesinato, sólo te puedo contar lo que he leído en los periódicos, oído en la radio y escuchado en los corrillos, y aun eso hay que tomarlo con la debida reserva. De un tiempo a esta parte los medios de difusión se lanzan como aves de rapiña sobre los sucesos dramáticos, los distorsionan, los tergiversan y de este modo convierten la depravación en espectáculo y la desgracia en befa. Es, lamento decirlo, una de las caras oscuras de la democracia. Antes, prensa, radio y televisión tenían por finalidad dar a la ciudadanía la información necesaria para que ésta opinara y actuara con conocimiento de causa. A mí, como travesti, no me servía de gran cosa, pero la deontología era la que tenía que ser. Ahora, por el contrario, triunfa y prevalece el que halaga los bajos instintos del populacho y no hay autoridad que pueda ponerle freno o que, pudiendo, se arriesgue a enajenarse al electorado aplicando las necesarias medidas restrictivas.

Mientras la juiciosa señorita Westinghouse desarrollaba esta ponderada tesis, Cándida había mezclado en un puchero dos litros de agua, cuatro macarrones, media zanahoria y un cubito de Avecrem y con estos ingredientes habría hecho una suculenta menestra de no haber estado vacía la bombona de butano. Aun así, dimos buena cuenta del refrigerio, en el transcurso del cual la señorita Westinghouse contó cuanto sabía acerca del asesinato falsamente atribuido a mi persona.

A eso de las diez de la mañana de aquel mismo día, pues aún seguíamos en él, no obstante lo mucho que llevo escrito, un vecino del inmueble sito en una calle recoleta del probo barrio de San Gervasio, al salir de su casa para dirigirse a sus quehaceres, según declaró, descubrió el cadáver de la infortunada joven medio oculto en el seto del diminuto jardín que separa el edificio de la acera, es de uso comunitario y riega el portero. Avisada la policía de este lamentable hecho, acudió sin dilación. El inusitado acontecimiento causó gran revuelo en el vecindario, porque el cadáver vivía precisamente en un apartamento de dicho inmueble desde hacía poco menos de un año, durante el cual no había dado motivos para pensar que acabaría así, pese a ser modelo de profesión.

Los datos suministrados por la señorita Westinghouse coincidían con lo dicho por los falsos agentes primero y luego por el comisario Flores. El resto, incluido el autor de la fechoría, estaba por averiguar. Por el momento, sin embargo, nada podía hacerse, salvo tumbarse en el suelo y reponer fuerzas por mediación de un sueño reparador.

Del que me despertó lo que me pareció ser el estentóreo canto de un gallo y resultó ser la voz de un locutor del telediario de la mañana filtrándose por los endebles tabiques de la vivienda. En el acto de levantarme y desentumecer las extremidades me encontró la señorita Westinghouse que, de natural hacendosa, había madrugado y volvía de la calle portadora de un auténtico maná. En un bar cercano, donde la conocían, le habían dado tres ensaimadas de la semana anterior. En dicho bar, dijo tras haber puesto a reblandecer las ensaimadas en el fregadero, tenían encendido el televisor y en él un locutor, sin duda el mismo que me había despertado, estaba alertando a la población del peligro que corría mientras anduviese suelto un loco furioso, escapado de un manicomio de alta seguridad con el único propósito de cometer el máximo número de asesinatos. Este sangriento asesino en serie, había continuado diciendo el locutor, unía a su inconmensurable maldad la compañía de un perro enorme y de singular fiereza, el cual, la víspera, había atacado a un heroico agente de policía, causándole daños irreparables en una u otra pierna e inoculándole el virus de la rabia. Dada la gravedad de la situación, el alcalde de Barcelona había decretado dos días de luto, se había subido el sueldo y había dado una semana de vacaciones a todos los funcionarios. A continuación, siguió diciendo la señorita Westinghouse, la pantalla había mostrado el retrato robot del asesino, hecho a partir de descripciones de testigos, la mayoría de ellos esforzados practicantes de footing, los cuales coincidían en describir a un ser gigantesco, membrudo, hirsuto y con un solo ojo en mitad de la frente.

—¡Como Parsifal! —concluyó la señorita Westinghouse con un estremecimiento—. ¡Qué exageración!, ¡con lo mono que yo te encuentro!

—No te inquietes —dije para tranquilizarla—, en breve espero dejar de ser este monstruo terrible. De momento, cuanto más cunda la alarma, mejor. Pocos reconocerán en mí al monstruo, y cuando todo el mundo es sospechoso, más fácil resulta pasar inadvertido.

Animados por este razonamiento y por la ingestión de las ensaimadas, dejamos a Cándida limpiando la casa y nos echamos a la calle. En un quiosco cercano hojeamos la prensa y de la sección de sucesos extrajimos información adicional: el cuerpo de la modelo asesinada había sido hallado en el número 15 de la calle de Sant Hilari y el informe del forense fijaba la hora de su muerte sobre las diez de la mañana aproximadamente. Con estos datos y mucho ánimo, una hora más tarde ambos estábamos en las proximidades de la escena del crimen. La cual, por cierto, estaba en la otra punta de Barcelona, aunque esta vez, como la señorita Westinghouse disponía de un poco de dinero, pudimos cruzarla en un veloz y confortable autobús. Durante el trayecto nos sobró tiempo para repasar el plan que yo había fraguado y en el que ella había aceptado generosamente colaborar, no sólo por amistad, sino por convicción.

—Si queremos volcarnos al comercio exterior, como yo propugno, y convertir Barcelona en un lugar digno de ser visitado, lo que se dice un verdadero spot, es preciso acabar con la inseguridad ciudadana. De lo contrario, nadie querrá venir a un país en el que las mujeres son atacadas por los hombres, los hombres por las mujeres, y los travestis por entrambas partes —declaró.

5

EN LA ESCENA DEL CRIMEN

De acuerdo con el plan preestablecido, me adentré solo en la tranquila calle de Sant Hilari, que, arrancando de una transitada arteria y tras un breve recorrido en suave pendiente, desembocaba en un plazuela cuadrada y umbrosa. En una esquina, una placa de mármol instruía al viandante.

SANT HILARI

S. XIV

BISBE

MORÍ BOIG

A un lado del pasaje se alineaban casas de tres o cuatro plantas y moderna construcción, separadas de la acera por jardines diminutos, cada uno de ellos con un seto como de un metro de altura. Enfrente sólo había una fachada alta, lisa, parda y descascarillada, con ventanas cuadradas. En el jardincillo del número 15 crecían un laurel y unos matorrales verdes.

Sin apocamiento ni vacilación me metí en el jardincillo y anduve zascandileando hasta que salió el conserje. Era un hombre enclenque, de cabello corto, con blusón gris y cara de pocos amigos.

—¡Oiga, esto es privado y no se puede entrar sin permiso! —me gritó.

Le miré con aparente extrañeza y esperé un rato antes de responder con voz tranquila:

—Tenga la bondad. Soy de la tele y aquí el que anda sobrando es usted.

Pareció momentáneamente desconcertado, pero en seguida se repuso.

—¿De la televisión? —dijo mirando de soslayo la calle—. ¿Y dónde está la cámara, a ver?

—Las cámaras vendrán cuando yo las llame —respondí con una mezcla de comprensión y desprecio—. Por ahora, me limito a localizar y hacer encuadres. ¿Tiene idea de lo que cuesta desplazar una unidad móvil?

—No, señor.

—Da lo mismo. Póngase de perfil. Veamos si es fotogénico. ¿Sabe hablar?

—Sí, señor.

—Estamos pensando hacer un especial si el intríngulis merece la pena. ¿Qué me puede contar del crimen?

—La policía me ha prohibido...

—Oiga, yo soy el Telediario, y el secreto sumarial me lo paso por el forro —dije con la indiferencia de quien se sabe dispensado de toda norma—. Además, no le estoy pidiendo que conculque ninguna ley. No queremos revelar nada; sólo buscamos los aspectos humanos del caso. ¿Conocía a la difunta?

—Claro. Vivía en el tercero primera.

—¡Muy bien! ¿Lo ve?, eso tiene un innegable interés humano. ¿Hablaba a menudo con ella?

—No, señor. Ella iba a sus cosas y uno no se mete si no le dan pie. Una vez me comentó que prefería el metro al autobús porque es más rápido.

—Formidable. Todo esto presenta un extraordinario interés humano. Mire hacia arriba. Quítese las gafas para que se vean mejor las facciones.

De espaldas a la calle y sin gafas, la irrupción de la señorita Westinghouse pilló al conserje por sorpresa. Antes de que pudiera reaccionar, la recién llegada le abrazó con los ojos arrasados en lágrimas.

—¡Soy la tieta! —gritó siguiendo mis instrucciones—. Y usted debe de ser el conserje del inmueble. Pobre angelito, siempre me hablaba de usted con tanto cariño... ¡Estoy *devastated*! Deme las llaves.

Además de sobreactuar, se precipitaba. El portero volvió a ponerse las gafas y preguntó:

—¿Qué llaves?

—Las de su piso, buen hombre. ¡Cuántos recuerdos no habrán quedado allí, como el arpa en el fondo de no sé dónde!

—La policía no me ha...

—¡Rayos y centellas! —dije yo tratando de salir del atolladero donde nos había metido el divismo de la señorita Westinghouse—. Esto tiene el interés humano más grande que he visto en mi vida: una persona allegada entrando en el piso vacío de la desaparecida, con el corazón en un puño. Haremos un especial de varios episodios. Señor conserje, corra a buscar las llaves y únase a esta escena antológica. Mientras tanto, llamaré a los estudios, si me permite usar el teléfono de la portería.

Mientras el portero rebuscaba en un cajón, descolgué el aparato situado sobre el mostrador, marqué un número inexistente y dije:

—Soy Asmarats. Ya podéis enviar al equipo... Sí, tío, un interés humano del copón. Y un testigo que vale su peso en oro: el conserje del inmueble, no te digo más. Una bomba, chaval. ¡No sabes cómo se expresa!

El aludido me entregó una llave con mano temblorosa.

—Yo —dije arrebatándole la llave antes de que tuviera tiempo de arrepentirse— acompañaré a esta dolorida dama y parienta carnal de la difunta, que, aunque la emoción le ha hecho olvidar el motivo de su visita, sin duda pide acceso al piso de la desaparecida para recoger las más evocadoras pertenencias.

—Igual me van bien las bragas —apuntó la señorita Westinghouse.

A empellones la saqué de la portería, la metí en el ascensor y dije al portero:

—Usted quédese en el jardín. Cuando vea llegar al equipo, dígales que estamos arriba. Que preparen el plató y le vayan maquillando.

Entramos en el piso. Lo conformaban un minúsculo recibidor, una sala rectangular con un ventanal corrido, un dormitorio, un baño y una cocina diminuta. En la sala, el mobiliario era escaso y sencillo. Cuatro libros, otras tantas revistas ilustradas, un teléfono de mesa, un pequeño televisor, una cadena hi-fi y media docena de CD daban testimonio de haber vivido allí una persona sola, sumamente ordenada, de hábitos austeros y medios restringidos. La cocina estaba limpia; los cacharros, nuevos; la nevera, vacía. En un santiamén estuvo hecho el registro. Entré en el dormitorio y sorprendí a la señorita Westinghouse probándose una blusa de la difunta. Le afeé su conducta. Hizo un mohín.

—A ella ya no le hace servicio y a mí me está ideal —alegó—. Los pantalones, no tanto, porque tengo un traserito XL.

—Esto es una investigación criminal, no un mercadillo.

—¡Jesús, vaya rigores! Ya había terminado la pesquisa. Aquí todo es barato, pero la gachí vestía de fábula: buenas marcas y modelos de la temporada. O le sobraba la pasta o tenía un maromo forrado y manirroto. ¿Y tú?, ¿has encontrado algo significativo?

—Nada.

—Aquí, lo mismo. Ni una foto, ni una libreta de direcciones, ni una agenda. El piso entero parece un decorado.

—Eso mismo pienso yo —dije.

Me asomé al ventanal de la sala procurando no ser visto desde el exterior. Por la calle circulaban coches y motos a intervalos más o menos regulares. Desde aquella altura, el jardín era un cuadrado visible en su totalidad, salvo el ángulo derecho, tapado por el laurel, donde al parecer había sido encontrado el cadáver. La señorita Westinghouse se puso a mi lado y ambos contemplamos el plano del lugar de autos.

—Me parece todo muy raro —comenté—, empezando por el propio homicidio. Según el forense, la muerte se produjo sobre las diez de la mañana y el cuerpo fue encontrado a esa hora junto al seto del jardín. Sin embargo, dudo de que mataran a la chica en el jardín, a pleno día y a la vista de todo el mundo. La calle está poco concurrida, pero alguien podía pasar en aquel momento o asomarse a una ventana y sorprender al malhechor en plena faena. Quizá la mataron en su propio domicilio, donde ahora estamos nosotros, y luego bajaron el cuerpo al jardín, aunque esta hipótesis tampoco me convence: el riesgo es el mismo; por no hablar del conserje. Es muy celoso de sus atribuciones. En cuanto me vio merodear, salió hecho un cancerbero.

—¡Tengo una idea! —dijo la señorita Westinghouse—. La chica se suicidó aquí colgándose del techo y una vez muerta se tiró por la ventana.

—Esto es una burrada —dije yo—. Lo más probable es que la mataran en otro sitio, trajeran el cadáver en un coche y lo arrojaran por encima del seto. Entre dos se puede hacer con rapidez y sin complicaciones. Claro que esta hipótesis no aclara la cuestión principal, a saber, ¿por qué tomarse tantas molestias para dejar el cuerpo a la puerta de su propia casa? En fin, vámonos. Aquí no hay nada más que hacer. Excepto...

Se me había ocurrido probar el teléfono. Descolgué y pulsé el botón de rellamada para saber cuál era la última persona con la que la víctima se había puesto en contacto. Al tercer timbrazo respondió una voz suave:

—Jefatura de Policía. Habla el subteniente Asmarats. ¿En qué puedo servirle?

Colgué de inmediato.

—Hum, la cosa se pone cada vez más fea —dije—. Larguémonos. El portero no tardará en mosquearse cuando vea que no vienen los de la televisión y podría llamar a la policía.

Al salir al rellano oí gritos y ruidos provenientes de la planta baja. Me pegué a la pared y la señorita Westinghouse me imitó.

—¿Qué pasa? —dijo en un susurro.

—Hay gente abajo —respondí del mismo modo— y, a juzgar por el bullicio, no son vecinos del inmueble. Me temo lo peor. La policía ha venido, bien avisada por el portero, bien motu proprio, y estamos atrapados. Deberíamos haber tomado más precauciones. En fin, ya es tarde para tomarlas y para lamentarse de no haberlo hecho.

Reflexioné un instante y añadí:

—De perdidos, al río. Tú baja tranquilamente, como si fueras un ama de casa absorta en sus quehaceres. La policía no te conoce ni te asocia al caso y el portero casi no te ha visto. Además, estará muy ocupado dando la tabarra a quien quiera escucharle. Es posible que no te detengan. Si es así, sal a la calle sin decir nada ni volver la vista atrás y ponte a salvo.

Quiso protestar pero me adelanté a sus objeciones.

—No discutas: quedarte conmigo no serviría de nada y me puedes prestar más servicio libre que entre rejas.

Asintió, se concentró y acto seguido empezó a bajar la escalera contoneándose y cantando:

Ando medio loca
embrujá por tu querer

Transcurridos unos segundos, dejó de cantar y volvió a subir muerta de la risa.

—¡No te lo vas a creer! —dijo—. Los que arman este follón no son polis, sino un equipo de televisión. Tenemos la suerte de cara.

—Pues no la dejemos pasar —repuse.

Bajamos al portal y lo encontramos invadido de técnicos, que nos increparon y azuzaron porque estorbábamos el despliegue de trípodes, focos y cables. Sin hacernos de rogar, salimos rápidamente a la calle. En la acera encontramos al portero cariacontecido.

—En cuanto les vi llegar —dijo señalando a los representantes del ente—, les transmití verbatim las instrucciones que usted me había dado y empecé a contarles con todo detalle lo del metro y el autobús, por aquello del interés humano, pero me mandaron a tomar viento.

—¡Es intolerable! —exclamé—. Ahora mismo dimito como jefe de los servicios informativos de TVE.

—Hombre, no hay para tanto —relativizó el conserje.

—Ya lo creo —dijo la señorita Westinghouse—. Por menos dimití yo de la Guardia Civil.

Embargado de la emoción, el conserje hacía pucheros.

—Lo peor —añadí— es no saber apreciar dónde está la noticia. Porque usted, a discreto no le gana nadie, pero si quisiera contar, podría contar cosas bien jugosas, seguro.

—No crea —dijo el portero con modestia—. Soy un poco soso.

—Ni hablar. Es usted el salero personificado. Practiquemos: la difunta, ¿era una golfa?

El portero reflexionó con un dedo en la boca.

—Quia —dijo al cabo de un rato—, nunca dio motivo de pábulo. Al menos en la finca y en las fincas colindantes. Fuera de esta calle ya no es mi jurisdicción.

—¿No la visitaban chicos? ¿No tenía novio?

—No, señor. Nunca recibió a nadie en su piso. Ni siquiera al repartidor del súper. Y no tenía asistenta.

—¿Cómo puede estar tan seguro? —preguntó la señorita Westinghouse—. A lo mejor cuando usted no estaba en la portería, esto se convertía en un pan del demonio.

—No, señora. La vivienda del conserje, donde tiene usted su casa, subyace al inmueble, y cuando un servidor concluye la jornada se recoge y se pone cómodo, mismamente en cueros y chancletas si el clima lo requiere, pero no pierde ripio de quién entra y quién sale.

A decir verdad, en las últimas semanas, algunas noches —agregó tras un breve combate interior entre su acendrado sentido del secreto profesional y su deseo de ganarse a la audiencia—, alguien la acompañaba hasta la puerta. Hombre o mujer, uno, dos o más, no se lo puedo decir, porque nunca llegué a ver al acompañante o acompañantes. No por falta de agudeza visual, sino porque el sujeto o sujetos que la acompañaban en coche no abandonaban el vehículo. De haberlo hecho, y siendo la calle estrecha, éste habría obstaculizado el tráfico y me habría visto en la penosa obligación de avisar a la grúa. Por fortuna, no hubo ocasión. El coche se detenía, ella se apeaba, hacía un ademán de despedida y se introducía en el jardín primero, y luego en el portal. Entonces el coche se iba.

—¿Se fijó en la matrícula? —pregunté.

—No, señor. Al no haber infracción viaria, no hubo lugar.

—¿Y la marca?

—Ni idea. En los coches no me fijo. Yo soy de ir andando a todas partes. Sano y barato.

—Al menos, el color.

—Tampoco. Pero siempre era el mismo coche. Podrían ser distintas personas con el mismo coche. O las mismas personas con muchos coches iguales.

—¿No sería un taxi?

—No, señor. Los taxis son amarillos y negros y llevan un farolito verde. Soy muy observador.

—Pues para ser tan observador, ayer por la mañana no vio que había un fiambre en esta mierda de jardín —dijo la señorita Westinghouse.

—Es cierto —admitió el conserje inclinando la cabeza y abriendo los brazos en cruz—, y me meso de pensarlo. Pero entre mis importantes funciones está la de fregar la escalera y, entre las nueve treinta y las diez, la ejerzo con ahínco. Les diré cómo: a las nueve y veintiocho lleno el cubo de agua. A las nueve y veintinueve le agrego un chorrito de Don Limpio. A las nueve y...

—Y acaba a las diez —dijo la señorita Westinghouse.

—Poco más o menos, según si ha llovido y en el suelo hay huellas o si el tiempo está seco... o si excepcionalmente aparece un cadáver, como en el supuesto que ahora nos ocupa, en cuyo caso dejo a medias la labor y la reemprendo más tarde, cuando el señor juez ha levantado al susodicho.

—¿Quién descubrió el cadáver?

—El vecino del segundo segunda. El señor Mikel Larramendi, afamado chef de cocina —dijo el conserje con una mezcla de orgullo y reverencia.

—¿Dónde podríamos encontrar al señor Larramendi? —pregunté—. Me gustaría incluir su testimonio en el programa.

—Creí que había dimitido.

—Tenemos una productora —dijo la señorita Westinghouse al advertir mi desconcierto.

—En tal caso, a estas horas sin duda lo encontrarán en el trabajo. El señor Larramendi honra la cocina de un restaurante cuyo nombre nunca he sabido. Pero no les costará identificarlo por su elegancia y categoría. Está en la calle Diputación, entre Aribau y Muntaner. Esto sí lo sé por haber oído comentar a don Mikel en persona que para ir tomaba el 17 hasta la calle Valencia y luego el...

—¿A qué hora suele volver a casa?

—Don Mikel, por razón de su oficio, se reintegra tarde. Y en los últimos tiempos, con una buena cogorza.

La presencia del equipo de televisión había congregado un corro de curiosos. La prudencia aconsejaba abandonar por el momento aquella valiosa fuente de información y darse el piro.

—Su colaboración —dije al portero— ha sido de gran utilidad, y así constará en los títulos de crédito.

6

UNA PISTA INESPERADA

En el paseo de San Gervasio el ir y venir de peatones por la acera y de vehículos por la calzada era garantía de anonimato. Cuando lo alcanzamos aminoramos el paso la señorita Westinghouse y yo.

—Bueno, todo ha salido de maravilla —dijo la señorita Westinghouse—. ¿Y ahora qué?

Y sin dejarme responder, añadió:

—Lo primero y primordial sería dar con el misterioso acompañante o acompañantes de la víctima, digo yo. Los que la acompañaban a casa regularmente en un coche negro.

—¿Por qué negro? El portero no dijo nada del color.

—Siempre lo vio de noche. Si hubiera sido blanco o verde, se habría fijado. Negro es un supuesto válido a falta de otros mejores. Inútil, pero válido, como decíamos en el cuerpo.

—¿De verdad fuiste guardia civil?

—Unos cuantos años. Lo dejé no sin penita del alma cuando sustituyeron el tricornio por la boina.

—¿Tan bien te sentaba?

—A mí no, a los compañeros. Además, la casa cuartel no era buen sitio para practicar el inglés. Eso sí, mientras estuve en la benemérita, aprendí un huevo. Y aún recuerdo muchas cosas útiles. Ahora mismo, por ejemplo, sé que nos viene siguiendo una chica. Muy mona, morenita y con una ropa divina.

—¿Estás segura?

—Claro, me paso el día mirando revistas.

—Digo lo de seguirnos.

—Ah, eso también. Vamos a ver qué quiere. Tú quédate quieto delante de un escaparate y hazte el longuis. Yo continúo andando. Ella me seguirá a mí, tenlo por seguro. Entonces vienes tú por detrás, la cogemos entre dos fuegos y le hacemos *pressing catch*.

En el reflejo del escaparate de un próspero banco percibí a la chica que había descrito mi acompañante con bastante precisión. Se quedó un tanto desconcertada al ver que nos separábamos y finalmente optó por seguir a la señorita Westinghouse, tal como ésta había previsto. Yo me coloqué sigilosamente a sus espaldas y le dije casi al oído:

—No grites ni te detengas, monada. Soy muy peligroso y voy armado.

Dio un chillido y se habría caído si no la sujeto. Los viandantes nos miraron de reojo. Unos siguieron su camino como si la escena no fuera con ellos y otros empezaron a practicar el footing. La señorita Westinghouse dio media vuelta y se reunió con nosotros.

—No tengas miedo, nena —le dijo—. Está un poco *berserk*, pero si confías en mí, no te hará nada.

Al oír esta admonición, la chica recobró la compostura.

—Vaya susto me habéis dado, colegas —confesó. Y mudando la expresión de espanto por una sonrisa añadió—: La culpa es mía por no haberos abordado directamente, sin tanta tontería. La verdad es que no sabía cómo actuar, porque no sé quiénes sois ni si puedo confiar en vosotros. Pero es evidente que no sois policías ni periodistas, y como no quería recurrir ni a los unos ni a los otros, y no tengo a nadie más, me puse a seguiros. Si tenéis tiempo y me queréis escuchar, podemos sentarnos en un bar y os expondré la razón de mis actos. Las consumiciones corren por mi cuenta.

»Mi nombre es Normalina Callado —dijo nuestra generosa confidente una vez nos hubimos aposentado en la mesa más apartada de una granja frecuentada por estudiantes y la señorita Westinghouse y yo nos hubimos abalanzado sobre sendos bocadillos de longaniza—. Algunos me llaman Norma, pero yo prefiero mantener mi verdadero nombre. Al fin y al cabo, Norma sólo es una ópera y santa Normalina es una santa del santoral, si bien no la más popular o milagrera. Tengo veinte años, pocos estudios y un trabajo precario de dependienta en unos grandes almacenes, departamento de deportes, sección de bicicletas estáticas. La excelencia de mi vestuario y calzado no os debe llamar a engaño. La empresa donde trabajo nos permite adquirir a precio de coste prendas que se han probado algunas señoras con enfermedades infecciosas o especialmente malolientes. Un detergente adecuado subsana estos deterioros, pero una tienda de postín no puede vender ropa lavada como si fuera nueva. La regla no se aplica a la ropa interior, que, en mi caso, es de ínfima calidad, pero de primera mano. Ya sé que ésta no es manera de comenzar un relato de misterio, pero quería despejar posibles dudas acerca de mi persona. Ahora os contaré cómo conocí a Olga Baxter.

—¿A quién? —preguntó la señorita Westinghouse, ignorante de que la primera norma de cualquier interrogatorio es no hacer preguntas.

—¡Cómo que a quién! —dijo ella entre sorprendida y recelosa—. ¿Andáis investigando un asesinato y no conocéis el nombre de la víctima?

—Es que nosotros venimos de la parte del asesino —le aclaré.

—Conocí a Olga Baxter —prosiguió Normalina Callado una vez asimilado el dato— en el gimnasio...

—Sin duda un gimnasio de medio pelo —sugerí.

La gente es reacia a contestar preguntas directas, pero no resiste la tentación de enmendar la plana a todo el mundo. Ésta es la segunda norma de un buen interrogatorio. Normalina repuso de inmediato:

—¡Ni hablar! El Sporting Club Santa Clara tiene sala de fitness, piscina cubierta, pistas de squash y...

—Sporting club quiere decir club deportivo —aclaró la señorita Westinghouse.

—El Sporting Club Santa Clara está muy por encima de mis posibilidades —admitió Normalina—. Soy socia porque al cumplir los dieciocho años mis padres me regalaron la inscripción y desde entonces pagan las cuotas mensuales. ¿Esto viene a cuento?

—Depende —dije yo, pero como hablaba con la boca llena, no se entendió lo que dije.

Hacía medio año o poco más que la difunta Olga Baxter había empezado a frecuentar el Sporting Club Santa Clara. Allí coincidió con Normalina Callado en la clase de aerobic, en la zona de aguas y en el vestuario, y ambas acabaron entablando una amistad, no profunda, pero suficiente para que la muerte de la una no dejara indiferente a la otra y le impulsara a hacer lo posible por sentar al culpable en el banquillo.

—Me parece muy loable, pero sería más fácil y seguro dejar esta misión justiciera en manos de la policía, digo yo —dije yo.

—Sólo tengo intuiciones y sospechas —repuso Normalina Callado—, como pronto veréis. La policía me tildaría de entrometida: hoy en día mucha gente busca promocionarse divulgando chismes y exhibiendo intimidades en zafios programas de televisión, y como dicen que soy guapita y fotogénica...

—¿Y sabes cantar? —preguntó la señorita Westinghouse.

—Nada que ver, naturalmente, con la pobre Olga Baxter —dijo Normalina Callado sin prestar oídos a la improcedente pregunta de mi acompañante—. Yo, a su lado, soy una mosquita muerta. Casualmente tengo una foto suya. Ella misma me la dio. Juzgad por vosotros mismos.

Sacó del bolso un abultado billetero y de éste una polaroid algo imprecisa, pero no tanto que no permitiera admirar un rostro de facciones provocativas, algo duras para mi gusto, abundante cabellera rubia, ojos intensos y labios rojos y carnosos.

—¡Joder, vaya polvo tenía la muy cabrona! —gritó con bronco vozarrón la señorita Westinghouse, olvidando por un momento su condición de ama de casa americana. Al punto, sin embargo, se contuvo, se ruborizó, carraspeó, puso la manaza en el delicado antebrazo de Normalina Callado y musitó con su habitual dicción melosa y aflautada—: Pero tú también estás muy bien, cariño. Y, en el fondo, a los hombres les gustamos más modositas.

Olga Baxter era natural de Figueras, localidad célebre por albergar el Museo Dalí. Al cumplir los dieciocho años de edad, consciente de su llamativa belleza, atraída por los oropeles de la fama y desoyendo los consejos de sus familiares, inmigró a Barcelona para triunfar como modelo, ora en las pasarelas, ora en la publicidad, ora en ambos campos, como Claudia Schiffer, Naomi Campbell o Elle Macpherson, por no hablar de otras luminarias locales. Además de bonitos rasgos y buena figura, a Olga Baxter no le faltaba elegancia natural ni disciplina, pero la competencia era dura y la supervivencia, ardua. Después de un par de años de preparación y privaciones, se presentó a varios castings para conseguir tristes papelitos secundarios en spots televisivos, como el de la vecina cuya ropa no ha quedado limpia o la compañera de oficina que huele a tigre, pero ni siquiera de este modo obtuvo trabajo. En varias ocasiones Normalina Callado le hizo donación de las ropas que conseguía a precio de saldo y en otras le prestó algo de dinero. Todo indicaba que Olga Baxter habría de renunciar pronto a sus sueños juveniles, cuando, hacía poco más de un mes y estando las dos solas en la sauna, Olga Baxter contó a su amiga que había conocido a un hombre maravilloso, gracias al cual iba a mejorar su situación económica y sus perspectivas de carrera. Naturalmente, Normalina Callado temió que se tratara de uno de los muchos zánganos que pululan por el mundo de la moda sin más objetivo que engatusar a las aspirantes incautas y soñadoras, robarles el corazón y, de paso, vaciarles la cuenta corriente. Le expuso sin rodeo sus reservas y Olga Baxter respondió que estaba de vuelta de todo aquello, pero que aquel caso era distinto. El sujeto en cuestión, según Olga Baxter, se había enriquecido organizando encuentros a nivel internacional de hombres de negocios que él mismo definía como «auténticos tiburones». En la actualidad aquellos terribles personajes se habían reunido en Barcelona, atraídos por el futuro que, de acuerdo con sus previsiones, tenía la ciudad y con el propósito de negociar eventuales acuerdos con el Ayuntamiento y empresas locales. Normalina Callado objetó que, dada la naturaleza de aquellos negocios, no veía para qué necesitaban a una aspirante a modelo, a lo que Olga Baxter respondió que necesitaban una persona joven, de buena presencia, desenvuelta y que conociera la ciudad. A decir verdad, la propia Olga Baxter había sospechado al principio que la proposición encubría una oferta velada de prostitución, y así mismo se lo había manifestado al hombre que se la hacía, a lo que éste había respondido entre grandes risotadas que las personas de cuyos intereses se ocupaba no necesitaban recurrir a burdas artimañas, puesto que en Barcelona había una oferta amplísima de aquel tipo de ocio. Por lo demás, añadió, los ricos muy ricos eran de natural aprensivos y remilgados, y puesto que viajaban por todo el mundo y en especial por países como el nuestro, donde la higiene brillaba por su ausencia, siempre llevaban consigo su comida, su agua y su harén a fin de evitar enfermedades. Tranquilizada a este respecto, Olga Baxter había tenido varios encuentros con el que ella llamaba «su contacto», en el curso de los cuales, según propia confesión, él siempre se había mostrado en extremo respetuoso. En diversas ocasiones la había invitado a cenar en los restaurantes más lujosos y no había escatimado gastos en manjares y vinos. Al término de estos encuentros la acompañaba a casa y nunca dio a entender que esperaba de ella correspondencia alguna a sus atenciones.

—¿En un coche negro? —preguntó la señorita Westinghouse.

Antes de responder, Normalina Callado nos lanzó una mirada nerviosa y enojada.

—No lo sé —respondió ella precipitadamente.

Por un instante tuve la sensación de haber visto anteriormente aquel rostro y, sobre todo, aquella expresión. Tal cosa, sin embargo, era harto improbable: por su edad, Normalina Callado todavía era una niña antes de mi inmerecida reclusión y la posibilidad de haberse cruzado nuestros pasos era nula. Esta reflexión, siquiera fugaz, me impidió buscar un subterfugio para retenerla, porque ella, como si saliera de un trance, miró su reloj y, levantándose con viveza de la mesa, dijo:

—Se me ha hecho tarde. Además, no quiero ser vista hablando con vosotros. Como ya os he dicho, me gustaría ayudar a resolver el caso, pero no busco líos.

Dicho lo cual, se fue, no sin abonar antes la cuenta en la caja. Deberíamos haberla seguido subrepticiamente, pero aún no habíamos acabado con los bocatas y lo primero es lo primero.

—Vaya —dijo la señorita Westinghouse mientras daba furiosos mordiscos al suyo—. ¿Qué mosca le ha picado?

—Tú la has espantado con tu manía del coche negro. Un interrogado nunca debe pensar que proporciona información que no controla —respondí—. Ésta es la tercera norma de un buen interrogatorio.

—En la benemérita nos enseñaron otro método —protestó.

—Hazme caso —repliqué—. Yo los conozco todos.

—Bueno, al menos en una cosa tenía yo razón.

—¿En cuál?

—En que Barcelona tiene un gran futuro comercial.

—Esto ahora no tiene importancia —dije—. En cambio, algo hemos avanzado en lo concerniente a lo nuestro. Y, de paso, hemos almorzado de gorra.

—Todo apunta a que la señorita Baxter se había metido en terreno peligroso —apuntó la señorita Westinghouse.

—En efecto, y seguramente ella misma lo percibió así. Al menos, trató de ponerse en contacto con la policía, como hemos podido comprobar hace un momento en su piso. Y es probable que hiciera otros intentos de pedir auxilio. Lo más indicado será seguir sus pasos. Para empezar, haré una visita a ese gimnasio que ambas compartían.

—¡Ay, sí, me chiflan los gimnasios! —canturreó la señorita Westinghouse.

—Pues lo siento —dije—, pero tú no vienes. Me conviene que vuelvas a casa y veas cómo está la situación. A estas horas la policía ya habrá echado mano de Cándida. Procura que no te pillen y dime cómo nos podemos comunicar.

—Eso es fácil. Estaré en casa hasta las dos tejiendo un jersey y a partir de las dos y media me encontrarás en el bar Facundo Hernández de la calle Escudellers. No tiene pérdida.

7

TINTA INVISIBLE

Don Bernabé de Paquito, en su día subcampeón del open benéfico de Valladolid y en la actualidad director del Sporting Club Santa Clara, me recibió en su despacho.

—Tome asiento, señor Asmarats —dijo señalando una silla de rejilla y acero inoxidable—, ¿o debería llamarle inspector Asmarats?

El Sporting Club Santa Clara ocupaba un amplio terreno en la falda del Tibidabo, a unos diez minutos de arduo ascenso a pie desde el lugar de donde yo venía.

—Asmarats a secas está bien —respondí con una sonrisa que aunaba modestia y connivencia—. En realidad, soy detective supernumerario, transferido de la brigada para asuntos especiales; casos en los que la discreción prima sobre el estricto cumplimiento de la ley, si entiende lo que le quiero decir.

—Entiendo, entiendo —dijo don Bernabé de Paquito con un leve guiño—. A fin de cuentas, un club deportivo es un templo; no del espíritu, ciertamente, sino del cuerpo. Cada músculo encierra un secreto. ¿Practica algún deporte, detective?

—Hago footing a diario.

—No se lo aconsejo; no es bueno para el corazón ni para la columna vertebral. Y menos si no lo practica con el calzado adecuado. Estas manoletinas, sin ir más lejos...

—Me las ha prestado un amigo —dije. Y para desviar su atención de mi vestimenta, agregué de inmediato—: Según tengo entendido, el club es mixto, por lo que concierne al género de sus afiliados.

—En efecto —dijo don Bernabé de Paquito—. Si bien damas y caballeros, como es natural, disponen de vestuario y zona de aguas separados, todas las actividades propias de un sporting club son de común acceso. Los niños y niñas tienen prohibida la entrada, porque gritan, incordian y se mean en el jacuzzi. También para evitar la pederastia: éste es un club respetable, detective, se lo digo yo, que he sido el alma de la institución desde sus orígenes. El primer club, que no se llamaba como ahora, estaba en los bajos de un edificio pobre en un barrio obrero. Hedía. Después de unos años difíciles, aprovechando una crisis y a base de créditos, pudimos comprar este antiguo convento en la parte más noble y ventilada de la ciudad. El antiguo convento de Santa Clara, del cual el club toma su nombre actual. Para llevar a cabo las reformas necesarias, tuvimos que pedir nuevos créditos. Fueron tiempos duros, sembrados de escollos y dificultades de todo tipo. Al empezar las obras para convertir las celdas de clausura en pistas de squash y el refectorio en lo que ahora es la piscina cubierta, encontramos dieciséis momias de antiguas abadesas. Y ahora viene lo bueno: ni el obispado se quiso hacer cargo del hallazgo, ni los servicios funerarios del

Ayuntamiento, ni el Museo Arqueológico, ni el Museo de Zoología... ¡nadie! Porque, déjeme que le diga una cosa, detective, en este país, mucha libertad, mucha libertad, pero la burocracia sigue siendo kafkista. Total, que después de mucho pedir y mucho insistir de buenos modos, se me acabaron las narices, con perdón, y dije: ya verás tú. Así que voy y el día de la inauguración del club, con todas las autoridades y toda la pesca, puse a las dieciséis momias en un palco con un letrero que decía: SOCIAS DE HONOR. Ya se puede figurar la que se armó. Artículos en el *Marca* y en el *Corriere dello Sport*... hasta que al final el cardenal Ratzinger, prefecto de la Congregación para la Doctrina de la Fe, llamó por teléfono al alcalde de Barcelona y lo puso a caldo. Ja, ja, ja.

Don Bernabé de Paquito se estuvo riendo un rato y cuando se hubo serenado, concluyó:

—Le cuento este suceso, detective, para que se haga una idea de la seriedad con que aquí se gestionan estas cosas. Usted quería saber, si no le he entendido mal, si en el club había tomate.

—Yo sólo quería saber si los socios disponen de taquillas individuales para guardar sus cosas —respondí.

—Oh —dijo don Bernabé de Paquito, un poco decepcionado—. Sí, naturalmente. Como usted mismo podrá comprobar de visu en la visita guiada a las instalaciones del club, el vestuario de caballeros cuenta con un centenar de taquillas numeradas. A cada socio, en el momento de su inscripción, mediante pago de un depósito y un incremento de la cuota mensual, se le hace entrega de una llave con el número de una taquilla, a la cual sólo él tiene acceso. Estas llaves numeradas están siempre en la recepción, como las llaves de los hoteles. Cuando el socio desea utilizar la taquilla, previa presentación del carné y el comprobante de haber satisfecho la última cuota, recibe la llave, que luego, al salir del club, ha de depositar de nuevo y firmar un albarán. De este modo se evitan muchos disgustos. El sistema me lo enseñó el propio Ratzinger cuando anduvimos en tratos por el asunto aquel de las abadesas. Me dijo que habían implantado lo de las llaves en el penúltimo cónclave, porque incluso entre la curia hay algún choricillo, y a veces desaparecían relojes, rosarios y otros objetos de valor. ¡Parece mentira!

—Se ha referido usted al vestuario de caballeros. Debo entender, pues, que el de señoras no funciona igual.

—No, no, sí, exactamente igual. No lo he mencionado porque no había pensado incluirlo en la visita guiada que efectuaremos en breve.

—Comprendo sus reparos, señor director —dije—, y los admiro tanto como admiro la forma ejemplar de dirigir este club. Pero necesito precisamente ver el contenido de la taquilla de una socia en particular. Si hay alguna señora en paños menores, o incluso sin paños, no miraré. Y le aseguro que la titular de la taquilla no presentará queja alguna.

—¿Cómo lo sabe?

—La asesinaron ayer. De ahí mi interés. El procedimiento legal es muy otro, bien lo sé. Pero usted no querrá que entre un pelotón de geos en el club dando gritos intimidatorios y disparando al aire.

—De ningún modo. Cuente usted con mi colaboración, detective. Con sólo oír lo que me cuenta, me estremezco. Después de los hongos, el asesinato de un socio es lo que más deseamos evitar. ¿De quién se trata?

—De una top model llamada Olga Baxter. La televisión no habla de otra cosa.

Don Bernabé de Paquito reflexionó un rato moviendo la cabeza de lado a lado.

—El nombre no me suena —dijo finalmente—. Pero sin duda la debo de tener vista, sobre todo si es una modelo, como usted dice, porque en el club, dicho sea con el debido respeto, más bien abundan las focas. Sírvase acompañarme, detective, preguntaremos en recepción.

El recepcionista era un muchacho atlético embutido en una camiseta roja con el logo del club y un distintivo de plástico con su nombre escrito: Mingo. Preguntado y consultado un fichero, confirmó no haber ninguna persona registrada en el club bajo el nombre de Olga Baxter.

—Pero, si me permite una atrevida sugerencia —añadió Mingo—, es probable que el señor detective se refiera a la señorita Rosario Perales, nombre con el que figura inscrita por ser el suyo, si bien es probable que en su vida profesional utilice o, por mejor decir, utilizara otro a modo de alias o pseudónimo. Lo digo porque la mencionada señorita, además de responder a la descripción del señor detective, es la única socia asesinada en lo que va de año. Su taquilla era la 96, por si desean registrarla, en cuyo caso daré orden de evacuar el vestuario de señoras.

—La orden la daré yo —dijo don Bernabé de Paquito— y tú te limitarás a cumplirla, listillo.

En el vestuario de señoras no quedaba ninguna cuando hicimos entrada en él, con don Bernabé de Paquito abriendo paso, Mingo con la llave y yo cerrando la comitiva. El vestuario era una pieza amplia, rectangular y luminosa, dividida en dos partes claramente diferenciadas: la primera, según me fue explicando don Bernabé de Paquito, era la llamada zona de aguas, donde podían verse una caja grande de madera con un ventanuco, que él designó sauna, un lavadero en perpetua ebullición y una hilera de duchas separadas por mamparas de vidrio glaseado; la otra zona era el vestuario propiamente dicho y en él taquillas numeradas formaban pasillos en el centro de los cuales unos bancos estrechos permitían calzarse y descalzarse con comodidad a quien quisiese hacerlo. Como yo no había pisado en mi vida un gimnasio, y menos un gimnasio de lujo, y menos aún el vestuario de señoras de un gimnasio de lujo, la curiosidad me impelía a hacer mil y una preguntas incisivas, pero me contuve, porque, estando como estaba en contacto diario con la psiquiatría, tenía comprobado cuán beneficioso es para el paciente contar poco y mentir mucho.

Con gran solemnidad abrimos la taquilla número 96 y apenas la portezuela hubo girado sobre sus goznes, los tres nos dimos un cocotazo al tratar al unísono de avizorar su contenido. Decepción: un par de bonitas zapatillas deportivas aparentemente nuevas, unas mallas negras, una camiseta, dos botes de crema hidratante y un cepillo para el pelo era todo cuanto contenía la taquilla. Como mis acompañantes esperaban alguna actuación de mi parte, olisqueé un poco las prendas, examiné de cerca el cepillo, extraje de él unos pelos largos y, no sabiendo qué hacer con ellos, los tiré a la papelera. Al guardar de nuevo el cepillo en la taquilla, advertí la presencia de una bola de papel. Desplegada reveló ser una hoja cuadriculada, arrancada de una libreta de anillas, sin nada escrito. Me disponía a arrojarla a la papelera para que hiciera compañía a los pelos, cuando me detuvo Mingo, el avispado recepcionista, con estas palabras:

—No se precipite, señor detective. Quién sabe si en este papelote no hay un mensaje, explícito o cifrado.

—¿Escrito acaso en tinta invisible? —preguntó don Bernabé de Paquito con un deje de incrédulo sarcasmo.

—Oh, no, señor. En la era de la informática y el fax tal cosa ya no se estila. Yo me refería a algo distinto. Como recepcionista, por cuyas manos pasan a diario muchos papeles, tengo observado que la emulsión de vapor de agua a altas temperaturas, aire acondicionado y sudorina, sumados a la energía positiva que desprenden los señores socios después del ejercicio, a menudo surte un efecto deletéreo, bien sobre la celulosa, bien sobre la tinta del boli o el rotulador, disipando y haciendo que se desvanezca lo escrito. Si es éste el caso, bastaría para recuperarlo arrimar el papel al amor de un candil.

—¡Sí, hombre, y pegar fuego al club! —dijo entre dientes don Bernabé de Paquito.

—Dije candil en sentido metafórico. Cualquier calor intenso y seco produciría el mismo efecto —dijo Mingo señalando la caja antes bautizada como sauna.

A regañadientes aceptó el director del centro la sugerencia de su subordinado y los tres nos dirigimos hacia allí, ellos con decisión, y yo simulando entusiasmo para no parecer paleto. Ante la puerta dijo Mingo:

—¿Nos desnudamos, señor director?

—No hace falta —repuso éste—, lo haremos muy deprisa.

El diálogo se me antojó preocupante, pero ya Mingo había abierto la puerta y entramos. Como no sabía lo que me aguardaba dentro, de poco me caigo. Miré a mis compañeros y al no advertir alarma por su parte, me repuse y sonreí fingiendo dar por bueno aquel horno malsano. Nos sentamos en un tablón y permanecimos en silencio, sin apenas respirar, hasta que se abrió la puerta y un hombre joven, vestido con las prendas distintivas del club, se dirigió a don Bernabé de Paquito y dijo:

—Perdone, señor director, pero las octogenarias de

la hidroterapia esperan en el pasillo y si las dejamos en remojo, igual se nos quedan.

Debido a su robusta constitución, la tez de don Bernabé de Paquito había adquirido un intenso color ladrillo y sus ojos brillaban como dos carbúnculos.

—Salgamos —dijo—. Como era de esperar, el experimento no ha dado resultado.

En efecto, el papel que sostenía entre el pulgar y el índice y agitaba suavemente se había vuelto tan macilento como yo, pero se resistía a revelar su secreto, si en él lo había. Salimos de la sauna, no sin alivio por mi parte, y don Bernabé de Paquito, tras dejar paso a unas señoras envueltas en albornoces que tiritaban en el pasillo y se precipitaron en el vestuario con palmoteo de chancletas, me dijo:

—Espero, detective, que para su encuesta no ha menester más diligencias.

—No, señor —respondí—. Cursaré informe a las autoridades competentes y remarcaré la cooperación recibida de su club y de usted. Y su limpieza. Que Dios conserve muchos años este abonado lugar.

Con esta y otras finezas nos despedimos.

Ya en la recepción, dije a Mingo que me permitiera usar su teléfono para hacer una llamada oficial. Consintió con prontitud y así pude hablar gratis con la señorita Westinghouse, la cual me aconsejó no acercarme a casa: tal como yo había predicho, la policía se había personado allí y al no encontrarme, se había llevado a Cándida, esposada y con modales vejatorios, para interrogarla.

La noticia y el escaso resultado de nuestro trabajo me dejaron un poco desanimado. Eché a andar hasta la parada de autobuses y una vez en ella, al no disponer de dinero, seguí hacia el centro de la ciudad haciendo footing, porque aún faltaba bastante tiempo para la cita con la señorita Westinghouse, pero quería emplearlo en trabar conocimiento con el señor Larramendi, afamado cocinero y descubridor del cadáver de Olga Baxter.

8

EL FEROZ FREIDOR Y SU MANSO PINCHE

En el sector de calle Diputación comprendido entre Aribau y Muntaner sólo había un restaurante: Casa Cecilia, cocina riojana. Sin duda el aspecto exterior y cuanto del interior podía verse desde fuera habría hecho fruncir el ceño a una persona más experimentada que yo en el pujante mundo de la gastronomía, pero como a mí cualquier sitio donde me echen de comer se me antoja un serrallo, no paré mientes en un diseño poco esmerado, una higiene algo laxa y un breve menú escrito en un pizarrón con tiza y faltas de ortografía. Entré y me salió al paso una mujer joven, pelirroja, lozana y sonriente. Antes de que me asignara una mesa, le pregunté por el chef. Al notar su perplejidad, precisé:

—El señor Larramendi, de fama universal.

La sonrisa desapareció de su rostro y su ceño se arrugó.

—¿Es una broma? —dijo.

—Está bien, volvamos a empezar. ¿Trabaja aquí el hombre que ayer por la mañana encontró el cadáver de una modelo en el jardín de su casa?

La mujer desarrugó la frente, pero no volvió a sonreír.

—Uno que trabaja en la cocina dijo algo de haber encontrado una chica muerta y de que la policía lo había estado interrogando. Como es natural, pensé que era una trola para justificar el retraso.

—Pues no lo era. Precisamente vengo por este motivo y con el propósito de entrevistarle. Para la televisión. Soy Asmarats, del programa «Las tardes con Asmarats». Podríamos rodar unos planos en el restaurante. Sería muy buena publicidad.

La mujer se encogió de hombros.

—Después de muerto Pascual, le sacaron el orinal —filosofó. Y dirigiendo una mirada de resignada tristeza al local, añadió—: Mire usted, señor Asmarats, mis padres eran de Logroño. Vinieron a Barcelona en los cincuenta y abrieron este local. Las cosas fueron bien hasta que fueron mal. Yo crecí en la buena época. Guapetona, resalada y señoritinga, no entraba en la cocina así me mataran. Murió mi padre, murió mi madre, vinieron las vacas flacas y yo no sabía freír un huevo. Por suerte, pago una miseria de alquiler y entre unas cosas y otras, voy tirando. Como no tengo dinero para contratar cocinero, de cuando en cuando recurro a la Dirección Provincial del Instituto Nacional de Empleo y a las veinticuatro horas me mandan dos alhajas. Ahora tengo a un inútil de aquí y a un asiático que sólo sabe hacer arroz basmati y calamares fritos. ¡Ya me dirá usted si a esto se le puede llamar cocina riojana, señor Asmarats! Pero mientras los tenga en nómina, me dan una subvención y de eso vivo. ¿Cuánto durará el chollo? ¡Dios dirá! Mientras tanto, casi es mejor que nadie vea este agujero, ni en la tele ni en persona. Ahora, si lo que quiere es hablar con Magín, por mí no hay inconveniente. Lo encontrará en la cocina. Como le he dicho, son dos, pero no hay confusión posible: uno tiene cara de ardilla y el otro de catalanufo. Yo me quedo aquí, por si cae un despistado.

Dejé a la propietaria del establecimiento absorta en sus sombrías reflexiones y por una puerta de vaivén ingresé en una cocina angosta y sin ventilación. Un ruido que al principio asigné al extractor de humos resultó provenir de un radiocasete colocado sobre un bidón. En aquella mazmorra había dos hombres: uno, de tez oscura, con un pañuelo rojo anudado a la cabeza y empapado de sudor, vigilaba el borboteo del aceite en una sartén; el otro, menudo y pálido, limpiaba calamares en un fregadero. A este último dirigí mis primeras palabras:

—Señor Larramendi, ¿podemos hablar donde nadie nos oiga?

El aludido apartó por un instante la mirada de los calamares, se enjugó las manos en un trapo hasta dejarlo completamente entintado y repuso:

—Aquí mismo. Éste es de Bután —aclaró señalando a su compañero— y no se entera de nada. Ni una palabra de catalán ni de castellano, ni el menor esfuerzo por integrarse. Al llegar pone un casete de música de su país, y al acabar la jornada apaga el aparato y se lleva el casete para seguir escuchándolo en su casa. ¡Loco me tiene con esta serenata de sonajeros averiados! Al principio pensé: si se añora, vale. Pero al cabo de unos días traje yo mi casete de Maria del Mar Bonet y el muy cabrón me lo hizo quitar con la excusa de que no podía trabajar con aquella estridencia. Y como es el jefe de cocina, a joderse tocan.

—Me hago cargo —dije cuando se hubo desahogado—, pero yo venía a preguntarle por la señorita Baxter.

—¡Ah! La policía ya me interrogó. Poco pude decirle y poco le podré decir a usted. ¡Pobre señorita Baxter!

Al decir esto se tapó la cara con las manos. Cuando las retiró, parecía un mandinga.

—Ya ve —añadió señalando el fregadero—, me paso el día eviscerando calamares. Eso debería haberme imbuido de un sentido trágico de la vida, ¿no cree? Pues no es así, porque no consigo quitármela de la cabeza.

—¿Había tenido trato personal con la difunta? Antes de encontrar sus despojos, quiero decir.

—El habitual entre vecinos: buenos días, buenas tardes. Comentarios esporádicos. En una ocasión comentamos el mal funcionamiento del ascensor. Ella no era feliz.

—¿Por lo del ascensor?

—No. En la vida.

—¿Se lo dijo ella misma de viva voz o lo notó usted en el modo de saludar?

—Oh, no, a mí no me hizo ninguna confesión de índole personal. Yo se lo noté. A menudo me saludaba como distraída...

—Estaría pensando en otra cosa.

—Claro, pero ¿en qué? Averígüelo y habrá resuelto el misterio de su muerte. Así mismo se lo dije a la policía, y vi cómo lo anotaban, punto por punto.

—No obstante, la policía cree que la muerte de la señorita Baxter fue accidental, que la mató un loco anónimo, sin móvil alguno, por pura obcecación. ¿No está de acuerdo con esta hipótesis, señor Larramendi?

—Por favor, no me llame así. Mi nombre es otro. En algunos sitios me hago pasar por cocinero vasco para darme pisto. Cuando digo pisto me refiero a jactarme de preeminencia social, no al guiso. Circunstancias adversas con cuyo recuento no le aburriré me han reducido a la situación actual: ayudante de un butanero en un restaurante al borde de la quiebra. Pero tengo un título universitario y en otros tiempos gocé de posición y privilegios. Hasta chófer tenía, lo crea o no. Pero así es la vida, señor, y de nada sirve quejarse. La desgracia, por otra parte, me ha enseñado mucho sobre las personas. Y también sobre los cefalópodos. Por esto puedo aventurar que algo corroía el alma de la señorita Baxter. Ahora, si era mal de amores o miedo a que le rebanaran el pescuezo, eso ya no se lo sabría decir.

—Valoro en mucho sus conjeturas, señor Larramendi, pero me gustaría volver a las circunstancias particulares del macabro hallazgo. Puedo consultar el atestado, naturalmente, pero preferiría escuchar el relato en sus precisas y atinadas palabras. Según tengo entendido, el hecho se produjo sobre las diez de la mañana. ¿A esa hora sale usted habitualmente de casa?

—Puntual como un reloj. Entro a trabajar a las once. Sobre las diez y cinco pasa el 17 por el paseo de San Gervasio y, aunque coincido con el conserje del inmueble en lo concerniente a la lentitud del transporte de superficie, prefiero el autobús al metro por ser más alegre y ventilado. Negror y peste tengo aquí toda la que un hombre pueda desear.

—El portero y usted rara vez se veían, pues todos los días a las diez él se ausenta momentáneamente de su puesto para limpiar la escalera; y cuando usted regresa, el portero ya se ha retirado.

—Es cierto: suelo volver tarde a casa. Este oficio es muy esclavo: raro es el día en que me recojo antes de la una de la madrugada.

—A esa hora, en cambio, sí debía de coincidir alguna vez con la señorita Baxter, cuando un gentil acompañante la dejaba en la puerta de la casa de ambos.

—Coincidir, coincidir, sólo una vez —dijo bajando los ojos y la voz en señal de turbación—. Luego tomé por costumbre apostarme para verla llegar. En varias ocasiones la estratagema salió bien y me fue dado admirar la lenta bajada del coche, primero un pie, luego las piernas, y por último el resto del cuerpo, y el breve recorrido de la acera al portal. Ni ella ni quien fuera en el coche advirtieron jamás mi presencia, por supuesto. Al principio se me ocurrió ocultarme en la portería, pero de inmediato rechacé la idea: ella me habría sorprendido al entrar y encender la luz, si antes no me hubiera delatado el fuerte olor a calamares en el que vivo inmerso. También rechacé esconderme entre los arbustos del jardincito, lo bastante frondosos durante todo el año para camuflarse en ellos una persona, pero incómodos y poco recomendables: la zona es húmeda y fecunda en caracoles y limacos. Al final opté por vigilar desde la ventana, protegido por la oscuridad y con una media en la cabeza para no ser reconocido por algún entrometido.

—¿Tanto le gustaba la señorita Baxter?

—Lo normal en mi situación: me paso el día entero en este agujero con este piojo por toda compañía —dijo señalando con disimulo a su intransigente compañero— y cuando vuelvo a casa, poca diversión me espera: vivo solo y a partir de la una, la televisión da pena.

—Volvamos a la señorita Baxter. Estando usted al acecho, la vio llegar varias veces en el mismo coche. ¿Pudo distinguir las facciones del conductor u otros ocupantes del vehículo? ¿Sacó alguna impresión de la reiterada escena? ¿Guarda ésta alguna relación con su anterior conjetura acerca de la infelicidad de la ya citada señorita Baxter?

—Uf, son muchas preguntas, señor Asmarats —dijo el elusivo pinche—. Trataré de responderlas por orden.

Iba a hacerlo, pero en aquel instante, el despótico cocinero desvió su atención de los fogones, se dirigió a nosotros con los ojos inyectados y bramó:

—¡Kahl-aah-mares!

Amedrentado por la tajante reclamación, mi interlocutor interrumpió el diálogo y se puso a limpiar calamares: con gran rapidez y destreza iba extrayendo las interioridades del bicho y echándolas a un cubo, lavaba el resto bajo el grifo, lo colocaba sobre una tabla de madera y con un cuchillo de hoja ancha lo dividía en aros de idéntico grosor, que el cocinero cogía a puñados y arrojaba a la sartén entre estallidos, deflagraciones y fumaradas. Persuadido de que aquella escena infernal duraría un rato, decidí esperar en el comedor para no echar a perder la ropa que me había prestado la señorita Westinghouse. Al verme reaparecer, la afable dueña del restaurante me dirigió una amigable sonrisa y murmuró como sin dar importancia al hecho:

—Acaba de telefonear un subteniente de la policía que, por una de esas casualidades de la vida, también se llama Asmarats, y me ha dicho que en diez minutos estará aquí con unos compañeros. Por lo visto, en el transcurso del interrogatorio Magín le habló de este figón y le han entrado ganas de degustar nuestras especialidades. Se lo digo por si desea esperarse y darle un abrazo o si otros compromisos le obligan a salir perdiendo el culo.

Me acogí a la segunda opción, le agradecí su amabilidad y sin más tardanza puse pies en polvorosa.

CONCILIÁBULO EN FACUNDO HERNÁNDEZ

La señorita Westinghouse me había citado en uno de los bares de tapas tan abundantes en la Barcelona de aquellos años, concebidos ab initio y sin misericordia como trampas para el incauto turista, al que habría engañado, esquilmado y probablemente envenenado con productos de dudosa calidad, pésimamente cocinados y expuestos a la acción del tiempo y los gérmenes, si aquél hubiera tenido la mala idea de comer allí, lo cual, por fortuna, no ocurría nunca, pues ni el más desavisado forastero se adentraba en el bar, pese a estar ubicado en plena calle Escudellers, a menos de cien metros de las Ramblas, ondear en la fachada la bandera española y colgar de una pared bien visible desde el exterior la cabeza disecada de un toro de lidia con una lata de aceitunas ensartada en un pitón, si bien la bandera estaba hecha jirones y al toro le faltaba un ojo y buena parte de la mandíbula inferior. La ausencia de la clientela a la cual iba destinado el bar producía una tranquilidad y una discreción muy alejadas del barullo habitual en los establecimientos de la zona y estas cualidades atraían a otra clientela, autóctona, heteróclita y un tanto cavernaria, no muy numerosa ni muy dada al consumo, pero muy fiel y, sobre todo, de una conducta y una dignidad irreprochables. El bar se llamaba Facundo Hernández y en sus orígenes, allá por la década de los cuarenta, había albergado una peña taurina. De aquella época esplendorosa quedaban los trofeos mencionados y unas fotos sucias y arrugadas de los banderilleros, monosabios y picadores que en su día honraron el local con su presencia. Ahora, los días laborables, la señorita Westinghouse tenía allí su tertulia.

La encontré en una mesa rectangular, al fondo del local, acompañada de otros cuatro travestis de distintas edades, a los que fui presentado de uno en uno y con despacioso protocolo.

El primero de ellos se llamaba Raúl y, según explicó la señorita Westinghouse, trabajaba como representante de un laboratorio de productos farmacéuticos, lo que le permitía disfrutar de cierta libertad de horario, así como de aspecto, que variaba en función de la visita programada. Con la ayuda de un amigo modisto había diseñado un vestuario reversible, y en un abultado maletín, junto a las muestras y los folletos de los laboratorios, llevaba un par de medias y otro par de calcetines, un surtido neceser, una peluca y varios bigotes postizos, todo ello con objeto de visitar a los clientes de su cartera como hombre o como mujer, sin necesidad de pasar por casa a cambiarse, aunque a veces, con las prisas, incurría en confusiones embarazosas, como presentarse en una farmacia sub especie masculina pero con zapatos de tacón o una tetas formidables, o bajo apariencia femenina y con bigote en otra. Estos inofensivos desliz y su natural simpatía le habían proporcionado una modesta fama así como una buena clientela, de la cual obtenía sustanciosos pedidos y muchas muestras de maquillajes, cremas hidratantes y ungüentos para combatir las arrugas o la celulitis, que luego vendía a los demás miembros de la tertulia.

El segundo tenía por nombre la Filo, estaba considerado por todos una santa. Muy piadoso y practicante asiduo de varios cultos, había consagrado su vida al cuidado de los desvalidos. Sin percibir más retribución para su propio sustento que el magro sufragio de una ONG de ámbito parroquial, acudía diariamente al domicilio de alguna persona anciana, sola y sin medios y le leía durante dos o tres horas ininterrumpidas las novelas ganadoras del Premio Planeta, empezando por la primera, *En la noche no hay caminos*, de Juan José Mira, de 1952, y siguiendo luego, por riguroso orden, con el segundo y el tercero hasta que el beneficiario de su compañía daba muestras de estar próximo a su fin, momento en el cual la Filo detenía al instante la lectura, así estuviera en medio de un pasaje o capítulo apasionante, y avisaba al párroco, al imam, al rabino, al santero o a quien fuera, pues de todos tenía el número de teléfono en su lista de contactos, y asistía al óbito, al velorio y a las exequias, a menudo con el libro todavía entre las manos y con el dedo índice a modo de punto en la página donde habían quedado interrumpidos el relato y la vida del oyente, para acudir acto seguido a la vera de otro necesitado con el ejemplar manoseado de *En la noche no hay caminos*, porque con cada nuevo oyente volvía al principio de la lista, lo que, dada la frágil condición de aquéllos, aún no le había permitido pasar de *La mujer de otro*, de Torcuato Luca de Tena, novela galardonada con el prestigioso premio el año 1961.

El tercer miembro del grupo aventajaba a los demás en edad y envergadura: una melena de color azabache enmarcaba un rostro alargado, con mofletes como globos y papada cardenalicia, embadurnado por completo de polvos blancos y con los ojos salvajemente enmarcados en rímel, todo lo cual le daba un aspecto imponente. En su fogosa juventud, allá por los años del estraperlo, luciendo bata de cola y con el sobrenombre de Lolilla la Farolera, había paseado su palmito en la confluencia de la avenida Pearson con la carretera de Esplugas, dispuesta a satisfacer las fantasías y caprichos de una clientela adinerada; más tarde, coincidiendo con el inicio de la recuperación económica, se trasladó a la Rambla de Cataluña, enfundó sus medidas crecientes en un discreto traje chaqueta y, bajo el nombre de Mariquita Solomillo, ofreció sus servicios a una clientela de clase media, menos exigente en cuestiones de estética y más apreciativa de un trato amable y comprensivo; el turbulento período de la Transición la pilló arrastrando su voluminoso y cansado corpachón por los oscuros aledaños de la Aduana, en busca de borrachos, drogadictos y extraviados; incidentes violentos le señalaron la conveniencia de cambiar de oficio; adoptó el nombre de Fortunata y empezó a ganarse la vida como echadora de cartas y consejera sentimental, dos actividades en las que pronto se ganó un justo prestigio que ella atribuía al profundo conocimiento del alma humana adquirido a lo largo de cuatro décadas de escuchar los secretos más íntimos y las justificaciones más inverosímiles.

El cuarto y último participante de la tertulia era conocido por la Tifus, y ninguna información me fue dada sobre su persona y sus actividades, salvo el comentario, hecho de pasada por la señorita Westinghouse, de que los dos «se habían hecho amigas en la mili».

Ante esta acogedora congregación di cuenta del escaso resultado de mis recientes actuaciones, tras haberme instado la señorita Westinghouse a hacerlo sin reservas, pues ella misma había puesto a las demás en antecedentes del caso y todas se habían juramentado para guardar silencio sobre cuanto yo les contara y echar una mano en lo que hiciera falta. Agradecí tan buena disposición, referí lo ocurrido, lo escucharon con sumo interés y suspiraron al unísono al concluir yo la exposición de tanto esfuerzo realizado en balde. El balance, en efecto, distaba de ser halagüeño: la conversación con el señor Larramendi había quedado interrumpida en un punto prometedor y no sería fácil reanudarla; y de la visita al sporting club, sólo había sacado un calentón en la sauna y un triste pedazo de papel en blanco, que saqué del bolsillo y arrojé sobre la mesa como prueba de la inutilidad de mis gestiones. Al instante se juntaron sobre el papel las cuatro cabezas, coronadas de abundantes melenas de los más diversos materiales sintéticos y las más estridentes irisaciones, y prorrumpieron sus propietarias en gritos y exclamaciones, que hubo de atajar autoritaria la señorita Westinghouse.

—¡Chicas, chicas, a callar y a estarsus quietas! ¡Y nada de manosear este importante affidávit! —exclamó, recuperando la hoja encontrada por mí en la taquilla de la difunta Olga Baxter.

Se hizo con el papel, lo examinó a la luz grisácea del fluorescente y luego me lo mostró con aire de triunfo. Con gran asombro pude advertir en el papel la presencia de letras de trazo débil, pero claramente reconocibles.

—El recepcionista del sporting club —dijo— estaba en lo cierto: alguien dejó escrito un mensaje bien con tinta invisible, bien con tinta normal que luego perdió su coloratura. El calor de la sauna no fue suficiente para sacarlo a relucir, pero es evidente que estimuló el proceso. Quizá de llevarlo en el bolsillo cuando hacías footing la tinta ha recobrado sus propiedades y ahora tenemos ante nuestros ojos el mensaje.

—Y en clave de fú —intercaló la Filo—, porque aquí una servidora no entiende ná de ná.

No le faltaba razón: las letras estaban sueltas y sin aparente ligamen.

—Seguramente faltan letras —dije tras reflexionar un rato—. Aunque no veo qué sentido tiene dejar un mensaje que nadie pueda entender.

—Quizá el proceso de recuperación no fue suficiente y hay que volver a la sauna —dijo la señorita Westinghouse.

—O la tinta era de mala calidad —sugirió Raúl.

—Para mí que es la humedad de Barcelona —terció la Filo.

—Dejadme ver —dijo Fortunata.

Se puso las gafas, tomó el papel entre sus dedos gordezuelos, lo examinó de cerca, le dio varias vueltas y finalmente dijo:

—Yo veo aquí fragmentos de palabras. Ahora sólo falta completarlas. Vamos a ver, yo diría que esto es... una te. ¿Estáis de acuerdo?

Hubo asentimiento general.

—Y aquí, al lado de la te... una erre.

Casi todos estuvimos de acuerdo, pero la Filo y Raúl discrepaban. La Filo veía una ese y Raúl una eme. Raúl tenía a su favor estar habituado a descifrar la letra de médico en su faceta farmacéutica, pero se impuso la mayoría y convinimos en que la segunda letra era una erre. El proceso era lento. Al cabo de media hora habíamos consensuado la te, la erre, la u y la ce.

—Truco —dijo la Filo—. Seguro que la palabra es truco.

—O trucha —dijo Raúl, todavía dolido por lo de la eme.

—Trucha no tiene sentido en el contexto —dijo la señorita Westinghouse—. Estamos ante un caso de asesinato, chicas. No perdamos de vista este aspecto fundamental de la cuestión.

La palabra trucha quedó descartada.

—Mi intuición me dice —pontificó Fortunata— que aquí pone «estructuralista». En este asunto anda implicado un estructuralista.

—¿Y eso qué es? —preguntó la Filo.

—Uno que hace mucho ejercicio y cuando está cachas se exhibe en taparrabos, como Arnold Schwarzenegger —explicó Fortunata.

Ni mis muestras de escepticismo ni mis reiterados llamamientos al pragmatismo contuvieron el frenesí descodificador que una hora más tarde arrojaba medio centenar de resultados contrapuestos. Cada nueva propuesta iba precedida, acompañada y seguida de una discusión tan acalorada que en varias ocasiones hubo que separar a dos oponentes que se daban de tortazos y, de resultas de ello, perdían las pelucas. Las especulaciones se habrían prolongado hasta las tantas si no hubiera venido el dueño a avisarnos de que el subteniente Asmarats estaba al teléfono y preguntaba por Fortunata. Acudió ésta a la llamada y regresó al cabo de muy poco para informar al resto de que un coche patrulla estaba en camino y en breve sus ocupantes irrumpirían en el bar, lo que tal vez hiciera aconsejable levantar la sesión de inmediato si alguien no quería pasar el resto del día, y tal vez la noche, en la trena.

—Una no se hace vidente así como así —dijo Fortunata al expresarle yo mi asombro por la llamada—. La clave está no sólo en conocer la psicología de las personas, sino en tener contactos en todas partes. Y cuando una lleva varias décadas sacando el culo en procesión, tiene un capacho de ambas cosas. Hala, vete corriendo y no te olvides de rezarle a la Virgen de los Puñales.

Le di las gracias, me despedí con premura del resto, quedé en comunicarme con la señorita Westinghouse en su casa a la hora de cenar, pedí prestado un lapicero, me metí en el bolsillo tres o cuatro servilletas de papel para tomar notas, salí a la calle, gané las Ramblas y me perdí entre la gente que deambulaba por ellas en ambas direcciones y también en sentido transversal.

El soplo de Asmarats a Fortunata me había salvado provisionalmente, pero a todas luces la policía me venía pisando los talones y tarde o temprano me pillaría. De momento, sin embargo, el saber por dónde me buscaban en aquel momento dejaba a mi disposición el resto del universo, de modo que decidí regresar a Casa Cecilia, cocina riojana, con el propósito de continuar la conversación interrumpida con el señor Larramendi. La puerta estaba cerrada. Toqué con los nudillos varias veces, acudió la dueña restregándose los ojos, abrió una rendija y me conminó a volver a partir de las ocho, cuando empezaban a servir las cenas.

—No vengo a comer, señora —dije—. Soy el de antes. Asmarats, ¿se acuerda?

—¡Ah, sí! Disculpa. Estaba viendo «Los ricos también lloran» y me había quedado traspuesta. Claro que te recuerdo. Hoy es el día de los Asmarats. El otro vino con unos colegas, se pusieron ciegos de calamares fritos y se marcharon sin pagar. Esta ciudad se va a pique, Asmarats, te lo dice una servidora. Pero antes de eso se irá a pique el restaurante. Claro que tú no has venido hasta aquí para escuchar mis lamentos, sino para hablar con Magín.

—Si no está ocupado...

—Seguramente lo está, pero en otro sitio: hace un rato cogió el portante y se largó sin dar explicaciones. No sé si volverá. Si en un par de días no da señales de vida, pido un suplente a los del Instituto Nacional de Empleo. Tan buenos como ése los hay a montones. Y ahora, si no deseas nada más, me vuelvo a ver «Los ricos también lloran»: ahí las pasiones están al rojo vivo, no como en esta charca.

—No la entretengo más. Sólo dígame si, a su juicio, la precipitada marcha del señor Larramendi guarda relación con la visita de Asmarats. No yo, sino el genuino subteniente Asmarats. ¿Hablaron?

—Puede ser. Yo no me moví del comedor y Magín no salió de la cocina, pero al menos en una ocasión, un Asmarats, de los muchos que frecuentan mi establecimiento, se levantó para ir al servicio.

—Gracias, señora. Es usted bondadosa e inteligente.

—Quebraré igual —respondió la patrona.

10

TRABAJO DE CAMPO

Las pistas falsas no dejan de ser pistas y la información sobre asuntos peliagudos no se obtiene al primer intento. Que hasta entonces las pesquisas no hubieran dado un resultado perceptible era enojoso pero no preocupante. Con todo, no podía permitirme el lujo de tener paciencia. Volví a cruzar la ciudad haciendo footing y la caída de la tarde me halló de nuevo en las proximidades de la recoleta calle de Sant Hilari, escenario inicial y epicentro del caso.

Antes de volver a enfrentarme al estólido guardián de la escena del crimen, me senté un rato a descansar en una plazoleta, donde bajo la escuálida enramada de cuatro arbolitos se mustiaban huraños jubilados y rubicundos parvulitos ponían en escena interminables pataletas. Se había levantado una brisa fresca y el cielo adquirió una tonalidad violácea para recordarme la proximidad de la noche y el carecer yo de un lugar donde pasarla sin riesgo de ser aprehendido.

Recuperadas las fuerzas, me levanté del banco y simulando donosura me encaminé a la calle de Sant Hilari y me detuve ante el número 15. No tardó en salir el conserje y venir a mí derechamente.

—Usted otra vez —masculló.

—Sí, mi querido amigo —exclamé con moderadas muestras de alegría—, el azar nos reúne de nuevo. ¿Cómo le fue con los de la tele?

—Fatal.

Esperé un rato en silencio por si la ira le impulsaba a desnudar el alma, pero si tal cosa anidaba en su interior, debía de ser tan inexpresiva como el frontispicio.

—Oiga —me preguntó después de mirarme un rato con suspicacia—, ¿de veras es usted de la tele?

—Ya se lo dije esta mañana. Uno no cambia de trabajo así como así.

—Venga, no me engañe. Los que vinieron no parecían conocerle ni usted a ellos. Para mí que se inventó una como si dijéramos personalidad secreta para llevarme al huerto. Pero a mí no se me engatusa con facilidad y lo calé. Usted es detective, no lo niegue.

—Con alguien como usted —admití— de poco sirve el fingimiento. Tiene razón: soy detective. Pero detective de la tele. Trabajo en un programa de buscar personas desaparecidas. ¿Usted no ha perdido la pista de un pariente o ser querido?

—No, señor. Toda la parentela la tengo en el pueblo, bien localizada y cada uno en su rincón.

—¿Hacendados?

—Mi padre tenía unas tierras, heredadas del suyo. Daban poco. Cuando empezó el bum-bum de la construcción vendió las tierras a una inmobiliaria por una fortuna, pero nunca llegó a ver un real. La inmobiliaria se fue al garete antes de poner la primera piedra de la urbanización y los bancos se quedaron con el pasivo de la sociedad, al que se habían incorporado las tierras de mi padre. Como era un rucio se empeñó en pleitear y acabó en chirona. Yo me vine a la ciudad. Era un crío, pero ya se veía que nunca serviría para nada. Por suerte, encontré este empleo.

—Pues con lo del asesinato, le espera la cesantía.

—¡No diga eso! Yo no soy el responsable.

—Vamos a ver. ¿Impide usted que se reparta correo comercial?

—¡Vaya si lo impido! ¡Con gran fiereza!

—En cambio permite que aparezca el cadáver de una inquilina en el jardín. ¿A esto le llama usted hacer de conserje? La seguridad del edificio recae sobre sus hombros: una carga hercúlea, lo reconozco, pero aun así...

—Es verdad. No lo había visto bajo este ángulo.

—No desespere. Le diré lo que podemos hacer. Ayúdeme a esclarecer los hechos. Si descubrimos al asesino, olvidarán su negligencia. Hablaré con los de la tele y el director general, que es amigo mío, intercederá por usted.

—Gracias, señor Asmarats, cuente conmigo. Pero le advierto que soy bastante espeso. No sabría por dónde empezar.

—Déjelo de mi cuenta. Esta entrada conduce a la vivienda del conserje, vale decir, la suya, ¿no es así?

—En efecto: tras esta humilde puerta tiene usted su casa.

—Me gustaría visitarla.

—Será un honor, señor Asmarats. Fije usted una fecha, a su conveniencia, y compraré unas pastas.

—Ahora mismo y en compañía de usted. De las pastas nos ocuparemos otro día.

A este ágil diálogo siguió un letárgico toma y daca sobre si era éticamente posible abandonar el puesto durante las horas asignadas a la vigilancia y cómo hacer frente a la eventualidad de que trajeran un paquete. Una vez persuadido con promesas y amenazas, entramos en un apartamento oscuro, limpio, ordenado y amueblado con pulcra sencillez. Un aroma de guisos y humedad flotaba en el aire estanco de la sala, al fondo de la cual había un jergón y una mesilla de noche, y en un costado un hornillo eléctrico y una pequeña nevera. Un tresillo y un televisor con antena de cuernos completaban el conjunto. Una puertecita junto a la cama debía de dar al cuarto de baño. Pero no era el hogar del conserje lo que acaparaba mi interés, sino su observatorio: una ventana desde la cual se veía el jardín y la calle. El seto ocultaba la parte inferior de ésta, salvo en el espacio de la entrada. La ventana disponía de una persiana de aluminio de color gris, subida en aquel momento. Por allí entraba la escasa luz del crepúsculo. El conserje se disponía a encender una lámpara, pero se lo impedí con un gesto.

—Desde esta ventana, según tengo entendido, veía usted apearse del coche a la señorita Baxter, ¿es correcto?

—Sí, señor.

—¿Dónde estaba usted en estas ocasiones?

—En aquella butaquita, delante de la tele.

—Desde allí no se ve la calle.

—No, señor, ni la calle me ve a mí, pues, para preservar mi privacidad, bajo la persiana cuando estoy en casa. El acontecimiento se producía del siguiente modo: yo estaba, como le digo, viendo el programa de TV1 o de la segunda, según el interés del programa, pues es variable; de repente oía un coche detenerse en el pasaje; me levantaba raudamente, venía hasta la ventana, donde usted está ahora, separaba ligeramente las lamas de la persiana y guipaba. No para chismorrear, no malinterprete mi celo;

sólo me movía el deseo de velar por la buena marcha del inmueble, incluso estando fuera de servicio. Podría llegar un paquete a hora intempestiva, en virtud de la diferencia horaria entre nuestro país y otros continentes, o...

—¿Sobre qué hora solía producirse la ya mencionada llegada del vehículo y la salida del mismo de la señorita Baxter?

—Entre la una y las dos de la madrugada.

—¿Y hasta esa hora suele estar despierto?

—Y más. Soy de poco dormir. En la fiesta mayor del pueblo, siempre era el último en retirarme. Habría podido bailar toda la noche con el profesor Higgins si hubiera sabido bailar. Como no sé y soy patoso, me quedaba sentado viendo como los demás se daban el filete. Las chicas del pueblo me llamaban «el mochuelo esaborío».

—Después de salir del coche, la señorita Baxter cruzaba el jardín, entraba en el edificio y subía sola a su piso. ¿O no?

—Yo mismo no lo habría descrito mejor.

—Si hubiese subido alguien o si ella hubiese vuelto a salir al cabo de un rato, ¿lo habría advertido?

—Con toda certeza. Aunque ya estuviera en la piltra, tengo el sueño ligero: el motor del ascensor, pasos en la escalera, el chasquido de la cerradura, cualquiera de estos ruidos, por decirlo en términos generales, bastaría para despertarme. Por esta razón no me acuesto hasta que ha regresado el señor Larramendi. Como acostumbra a venir trompa, arma un pitote de cuidado.

—¿Cómo sabe que el ruido producido por el señor Larramendi es debido a la ebriedad?

—Por la sintomatología: tropieza con las piedras del jardín, no acierta con la llave en la cerradura y se da de hostias con cuanto obstáculo se interpone en su camino.

—¿Canta?

—¿En qué sentido?

—Los beodos suelen caer en el denigrante vicio de la copla.

—No. Esta muestra de incivismo no se le puede imputar. No canta, ni siquiera por lo bajinis.

Mientras desgranábamos este informativo cotilleo, yo había bajado la persiana y, separando las lamas como hacía el portero, observaba el espaciado paso de vehículos por la callecita. El seto permitía ver únicamente la parte superior de los coches, pero una persona de estatura normal que se apeara de uno de ellos podía ser vista de cintura para arriba, y reconocida fácilmente a la potente luz de las farolas, que se acababan de encender en aquel preciso instante.

Me habría gustado llevar a cabo algún experimento adicional, pero el conserje daba muestras de impaciencia y estimé preferible no abusar de él por si necesitaba su colaboración en un futuro inmediato. Regresamos a la portería, se tranquilizó al comprobar que en su ausencia no se había producido un alud de paquetes y se mostró más locuaz. Tras no pocas vacilaciones y digresiones, conseguí recopilar una escueta referencia de los restantes vecinos del inmueble, ninguno de los cuales parecía tener relación con el caso objeto de mis pesquisas ni, dicho sea de paso, el menor interés.

Ya era oscuro cuando nos despedimos. Su horario de trabajo había concluido tres horas antes, pero él se proponía seguir en su puesto por si acaecía una emergencia.

En el barrio la circulación había decrecido, los comercios habían echado el cierre y la gente cenaba en su casa. Como no me podía permitir este lujo, decidí buscar un lugar tranquilo donde descansar: el día había sido largo, yo había recorrido grandes distancias haciendo footing y aún quedaban muchas gestiones pendientes. Deambulando di con un parque público, pequeño pero agradable, recluido y a la sazón desierto. Frente al parque había una cabina escrupulosamente vandalizada, cuyo aparato telefónico seguía funcionando de puro milagro. Lo desmonté para poder usarlo sin monedas y llamé a casa de la señorita Westinghouse. Respondió ella misma de inmediato y me dio el parte: habían soltado a Cándida y ahora las dos se disponían a compartir una lata de sardinas y un yogur; el piso había sido objeto de un registro negligente, no faltaba nada y sólo cabía lamentar leves daños materiales. No obstante, me desaconsejaba regresar: a su juicio, tanta delicadeza por parte de la policía bien podía encubrir una celada; de hecho, un individuo de paisano llevaba dos horas delante de la casa simulando atarse ora un zapato, ora el otro. Colgué, reagrupé las piezas del teléfono por si alguien se animaba a repararlo, entré en el parque, me tumbé en un banco de piedra. Oculto en un ciprés trinaba un ruiseñor noctámbulo y en el borde de un estanque rumoroso croaban a dúo una rana y un sapo. Arrullado por estos bucólicos acordes, antes de contar hasta tres ya me había dormido.

Al despertar debía de ser la medianoche, a juzgar por las incontables campanadas del reloj de una iglesia cercana. Me lavé la cara en un estanque del parque y, reanimado por la siesta y la ablución, me encaminé de nuevo a la calle de Sant Hilari con el propósito de efectuar comprobaciones sobre el terreno.

La callecita estaba solitaria pero bien iluminada, por lo que no era cuestión de montar guardia al descubierto. Al igual que el señor Larramendi, rechacé la posibilidad de ocultarme entre las plantas del jardín del inmueble, no tanto por razones de comodidad como para escapar a la obsesiva vigilancia del conserje insomne. El jardín del inmueble contiguo no era distinto, pero junto al muro divisorio de ambos predios crecía un árbol de tamaño mediano y robusta consistencia. Trepé a una rama, me acomodé como pude y me dispuse a montar guardia. De las malévolas hormigas y otras plagas no debía preocuparme, porque los insectos, como la mayoría de los animales, son muy celosos de su territorio y los piojos, pulgas y chinches que traía puestos del sanatorio sabrían defenderme de ataques externos. Corría el peligro de volverme a dormir y romperme la crisma, pero para impedirlo no me habían de faltar ocupaciones y entretenimientos.

El árbol bien podía haber sido un olivo, porque daba unas pelotillas parecidas a las aceitunas de los bares. Me comí unas cuantas; eran duras y amargas y paré de comer al notar los primeros síntomas de una rugiente indigestión. Saqué del bolsillo las servilletas de papel y el lapicero que había cogido en el bar Facundo Hernández y me dispuse a tomar nota de cuanto sucediera.

La circulación era espaciada. Si pasaba un coche o un taxi, trataba de anotar la matrícula. Nunca conseguí anotar una matrícula entera a causa de la velocidad de los vehículos y de lo incómodo de mi postura. En dos ocasiones se me cayó el lapicero y hube de bajar a buscarlo entre las hierbas y volver a trepar. En vista del mal resultado obtenido, abandoné lo de las anotaciones y me dediqué sólo a mirar.

El reloj de la iglesia parroquial dio la una y más tarde la una y cuarto. Pasados unos minutos de este último evento, vi enfilar la callejuela la figura titubeante del señor Larramendi. A unos metros de su casa, según venía, se paró, se arrimó al edificio de enfrente y se puso a mear con la frente apoyada en el muro. Quizá echó un sueñecito. Concluida la pausa, reemprendió camino haciendo eses. Debajo del árbol donde yo estaba, se paró de nuevo para buscar las llaves en todos los bolsillos de su vestimenta. Estaba pensando en saltarle encima y aprovechar su indefensión física y mental para someterlo a un interrogatorio, cuando advertí la presencia de un coche negro estacionado en la parte alta de la calle con el motor en marcha y los faros encendidos. No sólo no bajé del árbol, sino que me encogí para camuflarme entre el follaje. Esta operación, a la que concedí prioridad, me impidió tomar nota de la matrícula. Volví a estudiar la conducta del señor Larramendi, que para entonces se había arrodillado en el césped del jardín y doblaba el espinazo hacia delante como si se hubiera convertido al islamismo. En realidad, buscaba las llaves, que se le habían caído. En la ventana de la vivienda del portero, la fúnebre fosforescencia de un televisor encendido se filtró por una abertura: el muy capullo estaba al acecho. Al cabo de poco el señor Larramendi se incorporó, abrió trabajosamente la puerta del inmueble y entró. El coche negro se puso en marcha lentamente. El reflejo de las farolas en las ventanillas no me dejó ver a los ocupantes. Al llegar al final del callejón, el coche dobló la esquina y desapareció de mi vista.

Aún aguanté media hora más, durante la cual lo único digno de mención fue el lento, estruendoso y maloliente discurrir del camión de la basura. Cuando hubo concluido este espectáculo, decidí dar yo también por concluida mi guardia. Me moría de sueño, me dolía todo el cuerpo y no creía que en el resto de la noche fuera a suceder nada interesante.

11

LAS IRREGULARIDADES DEL SEÑOR MUÑOZ

Con gusto habría vuelto al parque donde había dormido unas horas antes para pasar allí las que mediaban hasta el alba, pero la prudencia me empujó a buscar nuevo acomodo. Andando por la amplia y suntuosa avenida del Tibidabo, di con un colegio ubicado en una mansión antigua y destinado a alumnos de corta edad, a juzgar por un columpio en forma de conejo y un tobogán pintado de azul. Salté la reja y me tumbé en un rincón del jardín, fuera de la vista de los transeúntes. Estaba tan cansado que me desperté con el sol ya alto y rodeado de niños de edades comprendidas entre los cero y los seis años. Los más atrevidos me daban puntapiés y los más cautelosos me lanzaban puñados de piedras desde cierta distancia. El jolgorio atrajo a una maestra joven, morena, con gafas de aros metálicos.

—¡No toque a los niños! ¡Ni se le ocurra tocarlos! —gritaba—. ¡Quédese donde está mientras voy a llamar a la policía!

—No se alarme —dije levantándome y sacudiendo la tierra de la ropa y los cabellos—. Estaba haciendo footing y he sufrido una lipotimia.

—¿Y cómo ha venido a parar aquí?

—No lo sé, señora. Cosas del deporte.

—Llamaré a una ambulancia.

—No hace falta. Ya estoy mejor. La visión de estos angelitos me ha devuelto la salud y la energía.

De camino a la salida, prodigué caricias a unos cuantos niños que llevaban mochilas a la espalda y les sustraje la merienda. En un banco del parque desayuné un Bollicao, dos donuts y un Kinder Sorpresa. Luego bebí agua de una fuente, busqué una cabina telefónica en funcionamiento y llamé a la señorita Westinghouse. Me contó que a las cuatro de la madrugada la había despertado su amiga Fortunata para decirle, con gran excitación, que llevaba horas dándole vueltas al acertijo del papel encontrado en la taquilla del sporting club. Con la prisa por largarme del bar Facundo Hernández, lo había olvidado sobre la mesa. Fortunata lo había visto, se lo había metido en el bolso y se lo había llevado a casa con la intención de estudiarlo a solas y con calma, y después de mucho devanarse la mollera, creía haber llegado a conclusiones razonables y estaba ansiosa por mostrármelas, para lo cual me esperaba a las diez y media en el número 46 de la calle Portaferrissa. Eso quedaba en la otra punta de la ciudad y yo sólo disponía de tres cuartos de hora y mis endebles extremidades para llegar hasta allí, por lo que nuevamente me tocó hacer footing. Al cruzar la plaza Cataluña estaba tan desfallecido que una paloma me derribó al rozarme con el ala. Me levanté, proseguí la marcha unos ratos corriendo y otros renqueando, y llegué puntual al lugar de la cita, que resultó ser una tienda antigua y diminuta, cuyo rótulo, desconchado y apenas legible, rezaba así:

Medio maniquí de celuloide desportillado, desteñido y sin ropa presidía el escaparate. Dentro había un mostrador de madera oscura, dos sillas de respaldo recto, muebles de gavetas contra las paredes y una cortinilla al fondo tras la cual debía de estar el probador. Fortunata estaba sentada en una de las sillas y un hombre de mediana edad, con un bigote fino, un bisoñé de color caoba y un ojo ligeramente vuelto hacia arriba, le daba conversación desde detrás del mostrador. Al abrir la puerta sonó una campanita, Fortunata ladeó la cabeza, me vio entrar y exclamó:

—¡Huy, pero si es mi detective privado! Pasa, cariño, y perdona que no me levante. Estoy derrengada. No hay nada más fatigoso que probarse ropa interior. Ni más frustrante. Una empieza con una talla pensando que le vendrá bien y, zas, la cremallera rota. Pide la siguiente y lo mismo... ¿Por qué nos manda Dios este suplicio? Los animales no engordan, ¿verdad? Al menos los de la selva. ¡Ay, quién fuera grácil como una jirafesa! Suerte tengo del señor Muñoz, que es un arcángel divino.

—Mi encantadora clienta y amiga —intervino el señor Muñoz dirigiéndose a mí y refiriéndose a Fortunata— exagera a todo exagerar. Precisamente le estaba enseñando unos sujetadores que me acaban de llegar de Milán. La reina de Saba no los usaba mejores. Ni el rey Salomón. Mire y compruebe —añadió extendiendo sobre el mostrador unos artefactos negros dotados de rígido armazón y generosas puntillas—. Aúnan comodidad, firmeza y picardía. Toque el material: seda pura. Las blondas no encogen en la lavadora, y un refuerzo de Inox garantiza la estabilidad. La señora o caballero que lo lleva se siente segura en cualquier ambiente, circunstancia y situación. Y viene en tres modelos: Dalila, Amazona y Von Paulus.

—Me parece muy bien —respondí—, pero soy mal árbitro de la moda: con llevar algo encima me doy por satisfecho y cuando el azar, la astucia o el apremio me han llevado a vestirme de mujer he antepuesto lo práctico a lo bello e incluso a lo decente.

Al oír mi torpe excusa, Fortunata hizo temblar la tienda con su risa de barítono y exclamó:

—¡Bien dicho! Y basta ya de cháchara. Estamos perdiendo el tiempo y a mi detective lo busca la pasma.

Mientras decía esto, abrió un bolso de imitación de cocodrilo, sacó la hoja de papel original y otra profusamente garrapateada y las puso sobre el mostrador. Sin esperar indicación alguna, el señor Muñoz fue a la puerta, colgó de un gancho pegado al cristal con una ventosa un cartel donde en primorosas letras bordadas se leía CERRADO, bajó una cortinilla de hule, encendió la luz y regresó a su puesto.

—A raíz de lo hablado en la sobremesa de ayer —prosiguió Fortunata—, estuve pensando con tal ahínco que a la noche no conseguía dormir ni después del quinto Orfidal. Como mariposones me daban vueltas por la cabeza los signos aparecidos en el papel encontrado en la taquilla del gimnasio y sin duda dejado allí por la difunta. Finalmente me levanté, tomé papel y lápiz y estuve haciendo combinaciones y estudiando posibilidades. He aquí el resultado.

Con orgullo de artista, puso la mano gordezuela y cargada de anillos sobre el papel y, satisfecha al ver la perplejidad pintada en mi rostro, dijo:

—No te dejes impresionar por esta sopa de letras, monada. Sólo son una muestra de los ejercicios de eliminación llevados a cabo durante varias horas. En lugar de aburriros con el recuento de las incontables vías muertas e intentos fallidos, pasaré directamente a la conclusión final: todas las letras y signos escritos en el papel y luego ocultos, bien por el método de la tinta invisible, bien por causas ambientales, eran un engaño destinado a lanzar al investigador en busca de una frase larga y un mensaje completo. En realidad, sólo unos pocos signos tienen valor. Helos aquí.

Dio la vuelta a la hoja y en el dorso pudimos leer:

A-P-A-L-F

—Ah —murmuré con admiración ante aquella muestra de talento—, ¿y esto qué significa?

—Cariño, no tengo la más remota idea —suspiró Fortunata. Y antes de que me dominara la decepción, añadió en tono alegre—: Sin embargo, al verlas me asaltó un viejo recuerdo. Tuve la certeza de haber oído este anagrama tiempo atrás, cuando los recovecos de la carretera de Esplugas no tenían secretos para mí... ¡Ah, mi alocada juventud!

Desdobló un pañuelito de organdí, se sonó con briosos trompetazos, volvió a doblar el pañuelito, lo introdujo en la manga de la blusa y, tras exhalar un suspiro, añadió:

—Por fortuna, contamos con la persona idónea para despejar la incógnita. No te he citado en este lugar por simple capricho. Conocer la Corsetería Muñoz bien vale el viaje, pero conocer al señor Muñoz... ¡eso no tiene parangón!

—Oh, por favor, por favor —cloqueó el mimoso corsetero—, oyendo estas inmerecidas lisonjas se me sube el pavo. Pero ¿acaso estas letras...?

—Admirado señor Muñoz —dijo Fortunata—, mi intuición masculina y femenina me dice que el asunto que nuestro querido amigo se trae entre manos no es un simple caso de asesinato sin móvil, ni tampoco un crimen pasional. Antes bien, los indicios me llevan a pensar que estamos ante una conspiración de largo alcance.

Mientras Fortunata hablaba, el señor Muñoz había abandonado su lánguida ñoñería y examinaba el papel con ayuda de una lupa y el ceño fruncido. Transcurridos unos minutos, levantó la vista, se restregó los párpados y nos miró con gravedad.

—No se asusten —empezó diciendo— de lo que voy a revelarles, pero después de efectuar un análisis detallado de la pieza, estoy firmemente persuadido de que estas letras encierran lo que en términos cabalísticos se denomina «siglas». Como ocurre en la conocida marca de automóviles SEAT. Les pongo este ejemplo próximo para facilitar la comprensión de lo que expondré a continuación.

El padre del señor Muñoz, nos explicó el señor Muñoz, había fundado la corsetería en 1941 y la había regentado hasta su fallecimiento, acaecido en 1977. Desde los inicios de esta andadura comercial, gracias a su inteligencia, buen gusto y mano izquierda, el señor Muñoz padre consiguió hacerse con una clientela de alcurnia. Miembros de la más selecta aristocracia catalana se proveían en aquel establecimiento. No, dijo el señor Muñoz hijo torciendo los labios en una mueca de desdén, advenedizos encumbrados por la cochambrosa revolución industrial, sino barones, marqueses y condes descendientes de aquellos aguerridos semidioses que acompañaron a Jaime I el Conquistador en la conquista de Mallorca y dejaron su impronta imborrable en Sicilia, Atenas y Neopatria. A este granado y, todo sea dicho, decrépito ramillete se habían sumado, andando el tiempo, militares de alta graduación, prelados y catedráticos de reconocido prestigio. De cada nuevo cliente el señor Muñoz padre en vida de éste y más tarde el señor Muñoz hijo, hacía una ficha en la que constaban sus datos personales, sus medidas, y también, cuando se establecía una relación de confianza, sus preferencias e inclinaciones. Estos datos, naturalmente, permanecían guardados en el más estricto secreto, pues se tomaban más como medida precautoria que con miras a ser usados con fines de extorsión. Con el paso del tiempo, la paciente, perseverante y prolongada recopilación, selección y clasificación de este fichero había conferido al difunto señor Muñoz en vida y ahora, desaparecido éste, al actual señor Muñoz, un conocimiento cabal, si bien algo sesgado, del reducido círculo de quienes determinaban el funcionamiento del conjunto de la sociedad catalana. Era este conocimiento privilegiado el que ahora le permitía ronronear para sí y murmurar para sus adentros:

—Ya veo, ya veo...

—¿Qué? —preguntamos al unísono Fortunata y yo.

—Nada concreto —repuso el señor Muñoz saliendo de su momentáneo ensimismamiento—. Pero estas siglas no me son extrañas. Como le ocurrió anoche a nuestra buena amiga Fortunata, yo también recuerdo vagamente haberlas encontrado en aquel asunto...

De nuevo compuso cara y gestos de ensoñación, estuvo un rato ausente, sacudió la cabeza, se irguió, guardó la lupa y dijo con firmeza:

—No quiero precipitarme. Mi trabajo me ha enseñado la conveniencia de tenerlo todo bien sujeto. Antes de dar una opinión fundada necesito consultar el archivo y eso he de hacerlo a salvo de las miradas de cualquier persona ajena a la empresa. Me he prestado a colaborar en la resolución de este caso —agregó señalando a Fortunata, que correspondió al ademán con animado aleteo de pestañas— por la intercesión de esta gran amiga y por ende gran valedora; pero mi intervención de ningún modo debe redundar en un posible perjuicio de terceros, todos ellos gente de bien y, por si eso fuera poco, buenos y fieles clientes de mi difunto padre antaño y ahora míos.

Por fuerza hubimos de aplaudir esta muestra de rigor e integridad, aunque yo habría preferido liquidar el asunto sin más demora. Quedamos, pues, en volver a encontrarnos en la corsetería sobre las ocho, dimos las gracias al señor Muñoz, intercambiamos efusiones y nos fuimos.

En la calle, Fortunata y yo anduvimos juntos hasta las Ramblas, encomiando de consuno las prendas personales y textiles del señor Muñoz, y una vez llegados a la populosa arteria, ella se fue hacia abajo, porque había quedado a comer en el Círculo del Liceo, del que era socia, y donde, según me contó, no le faltaban ocasiones de ejercer su actual profesión, pues los cantantes de ópera, especialmente los grandes divos y divas, eran muy supersticiosos y querían saber de antemano si triunfarían en tal o cual papel, si se verían obligados a bisar un aria o si, por el contrario, en el momento más esperado de su actuación se les escaparía un gallo ignominioso; y Fortunata los tranquilizaba leyendo augurios favorables en las cartas, en los posos del café o en la ceniza de los puros.

Nos despedimos hasta las ocho, hora en la que habíamos quedado con el señor Muñoz, le agradecí su ayuda desinteresada y luego, no teniendo perspectiva de comer y confiando en encontrar al señor Larramendi en la cocina de Casa Cecilia, cocina riojana, me fui Ramblas arriba, continué por el paseo de Gracia, doblé por la calle Diputación y me detuve a la puerta del restaurante a recobrar el aliento, porque para no llegar demasiado tarde, cuando numerosos clientes tuvieran ocupado al personal, había recorrido buena parte del camino haciendo footing.

12

TEORÍA GENERAL DE LOS FANTASMAS

El ejercicio había sido tan sano como fútil: al entrar en Casa Cecilia, cocina riojana, sin jadeo pero sudoroso, encontré a la dueña como único ocupante del sombrío comedor. La penuria no influía en el buen talante innato de aquélla; en cuanto me vio, sonrió mostrando una hilera de dientes blancos y bien puestos y exclamó:

—¡Hombre, Asmarats, cuánto tiempo! Ya te echábamos de menos.

—Mi porfía no es sin causa, señora —repuse.

—Puedes llamarme Cecilia —dijo ella—, y si buscas a tu famoso chef, llegas tarde. Esta mañana vino a la hora de siempre, pero con un aspecto más lastimoso del habitual, como si no hubiera pegado ojo y le atormentase el desasosiego y la jindama.

—¿No explicó la razón?

—Al contrario. Al entrar hizo lo posible para pasar inadvertido a mis ojos, cosa difícil en este vacío metafísico, y se metió apresuradamente en la cocina. Al cabo de cinco minutos emergió, vino directo a mí, farfulló una excusa atropellada acerca de la próstata y se fue sin tomarse la molestia de cerrar la puerta.

—¿Nunca se había comportado así anteriormente? —pregunté.

—No —respondió—. Es bobo e inútil pero cumplidor y bien educado.

—Tal vez su conducta estaba alterada por la bebida —sugerí—. ¿Ha notado en alguna ocasión si empinaba el codo o daba muestras de haberlo hecho?

—No, y si realmente fuera un borrachín, aquí no le habrían faltado las tentaciones: en la bodega hay un buen surtido de los afamados vinos de mi región de origen.

—¿Se fue sin decir cuándo volvería?

—No, y algo me dice que no le volveré a ver.

—Es raro —dije tras una breve pausa reflexiva—. Si quería dejar el trabajo, ¿por qué se tomó la molestia de venir?

—Eso se lo tendrás que preguntar a él.

—Tiene razón. Trataré de descubrir dónde se esconde, si, como supongo, su propósito no es cambiar de puesto de trabajo, sino huir de algo que le atemoriza —dije yo dirigiéndome a la puerta—. Gracias por su amabilidad y espero no volver a molestarla.

—Asmarats, ¿a qué viene tanta prisa? —dijo ella en tono de afable socarronería—. A Magín no lo vas a encontrar haciendo footing por las calles. Descansa un rato. La cocina de este sitio no es gran cosa, y menos ahora, sin el gran chef Larramendi, o como se hiciera llamar aquel mentecato, pero los calamares fritos con arroz basmati se dejan comer. —Y sin darme tiempo a improvisar una negativa airosa, añadió—: Paga la casa.

Habría necesitado una fortaleza de la que carezco para rechazar semejante convite. Me senté, se fue ella a la cocina y apenas tuve tiempo de anudarme la servilleta al cuello, regresó con un plato humeante y rebosante de un manjar difícil de clasificar, pero delicioso a mi paladar y nutritivo a mi organismo. La amable anfitriona quiso agasajarme con un vaso de sus reputados vinos, pero decliné el ofrecimiento, alegando que no estaba acostumbrado a las bebidas alcohólicas y su consumo, siquiera moderado, podía provocarme, en presencia de una mujer tan atractiva, una reacción torpe e incontinente, como por ejemplo echarme a dormir entre regüeldos. Apreció mi delicadeza y, sentándose a la mesa, confesó haber tenido en el pasado una mala experiencia con un hombre bebedor, y recordó con angustia las escenas violentas y las terribles palizas que, de resultas de la embriaguez, ella se había visto obligada a propinarle. Por suerte, aquella dramática vivencia ya pertenecía al pasado. Ahora, agregó dirigiéndome una sonrisa seductora, estaba libre de compromisos y ataduras, había decidido dejar atrás el atolondramiento y el desenfreno de la juventud y se había prometido a sí misma y a la Virgen de Valvanera, patrona de La Rioja, asentarse junto a un hombre no necesariamente apolíneo, pero sí dotado de virtudes cívicas y hogareñas, al que ella, a su vez, trataría a cuerpo de rey.

Esta íntima charla, no exenta de pícaros sobreentendidos, se habría podido prolongar durante varias horas, por no decir una vida entera, si mi voracidad y mis preocupaciones no me hubieran llevado a despachar la comida y las confidencias en cinco minutos, transcurridos los cuales, dejé la servilleta en la mesa, me levanté, le di las gracias y me dirigí a la puerta. Antes de cruzar el umbral, Cecilia, como insistía en ser llamada, dijo:

—Ya sé que eres un alto ejecutivo de la televisión, pero si en algún momento quieres probar otro oficio, aquí ha quedado una vacante. Limpiar calamares no es difícil y andando el tiempo, podrías pasar a otras dependencias de este establecimiento.

Prometí considerar seriamente la proposición y me fui. No tenía a dónde ir ni prisa alguna, y el trato con Cecilia me resultaba tanto más gratificante cuanto que llevaba largo tiempo apartado de la sociedad de las mujeres y las que había encontrado en aquel breve paréntesis de precaria libertad se habían mostrado reservadas cuando no hostiles hacia mí. O eran travestis. Pero ya había arriesgado demasiado volviendo varias veces al mismo lugar y no podía añadir a ese riesgo la temeridad de permanecer en él mucho tiempo.

Reconfortado con la comilona pero algo alicaído por la forzosa limitación de mis acciones y el detrimento de mis deseos, y por no haber encontrado al señor Larramendi, me alejaba del restaurante cuando oí pasos precipitados a mi espalda y una voz ronca que gritaba:

—¡Eh, tú, tío feo!

Me detuve y me volví a tiempo de ser alcanzado por un ser de lo más estrambótico, cuya figura, sin embargo, no me resultaba desconocida.

—¿Es a mí? —dije.

—Claro, ¿no has oído el tratamiento?

—¿Lo es?

—En mi Bután natal, sí.

Al oír el toponímico caí en la cuenta de que tenía ante mí al feroz freidor de calamares del restaurante que acababa de abandonar. Llevaba por todo atuendo una pañoleta de color azafrán arrollada a la cintura y un pañuelo rojo anudado a la cabeza como un baturro.

—Nunca lo habría imaginado —dije refiriéndome a lo dicho por él—. Desconozoco las costumbres de su hermoso país.

A todo el mundo le gusta referir peculiaridades de su tierra, aunque no le interesen a nadie, y como yo no me fiaba de sus intenciones, opté por dejarle hablar.

—Claro —respondió—, tú debes creer que en el Asia profunda llamamos a la gente sahib, memsahib y cosas por el estilo. Ja, ja. Eso se lo decimos a los turistas. Se pirran por lo exótico y se sienten halagados. Pero nosotros sabemos que la vanidad es la ruina del ser humano y para evitarla nos llamamos los unos a los otros adefesio, pisamierdas y otras lisuras. En urdu, por supuesto.

—Me doy por enterado —dije yo—, pero tú no me has seguido para instruirme sobre este punto.

—Esta vez aciertas, mequetrefe. He de contarte algo relacionado con mi compañero, el señor Larramendi. Vamos a sentarnos.

Iba a señalarle que no tenía dinero para entrar en un local público y que no había bancos públicos en la calle, pero él ya se había sentado en la acera, con la espalda apoyada en el muro de una casa y las piernas cruzadas para no zancadillear a los viandantes. Hice lo mismo y, así acomodados, procedió a desgranar su relato.

La noche anterior, el señor Larramendi había regresado a su domicilio, en la calle de Sant Hilari, a una hora más avanzada de lo habitual. La jornada laboral había concluido según lo establecido en el convenio, pero el señor Larramendi, según le dijo él mismo, en lugar de servirse de la extensa y eficiente red de transportes públicos de Barcelona, decidió dar un paseo. La temperatura era benigna y el señor Larramendi se sentía inclinado a postergar el momento de encerrarse entre las frías paredes de su solitaria morada. Desde el aciago hallazgo del cadáver de la señorita Olga Baxter en un rincón del jardín comunitario, se sentía inquieto y, sin motivo aparente, amedrentado, como si encontrar un vecino muerto fuera un mal augurio. Ya en casa y antes de acostarse, se bebió un vaso caliente de Cacaolat y rezó sus oraciones arrodillado junto al lecho. Doblemente reconfortado, se metió en la cama y se durmió. Al cabo de un rato le despertaron unos golpes débiles pero continuados: alguien llamaba quedamente a la puerta del piso, bien con los nudillos, bien con otra extremidad, en lugar del pulsar el timbre, probablemente para no ser oído por otros vecinos o por el celoso conserje. No sin recelo, acudió el señor Larramendi a la llamada, miró por la mirilla y, con indescriptible espanto, vio en el rellano a la propia señorita Baxter, la cual, habiendo detectado la presencia del atónito inquilino tras las puerta, susurró: «Señor Larramendi, déjame entrar...». El señor Larramendi, temblando de pies a cabeza, sólo acertó a murmurar: «Por favor, señorita Baxter, no me haga nada. Yo no tengo la culpa de lo que le pasó». Y la fantasma: «Abre, Magín, he de hablar contigo». Él la instaba a irse diciendo: «Vuelva, vuelva al más allá, señorita, que se está muy bien». Ante la ineficacia de sus ruegos, el señor Larramendi se arrodilló en el recibidor para implorar la protección divina, pero, aterrado y confuso, sólo consiguió recordar la *Salve rociera*. Al acabar, la cantó de nuevo. Al principio seguía oyendo la voz meliflua de la difunta, pero luego reinó el silencio en el rellano. Haciendo acopio de valor, el señor Larramendi se puso en pie y aplicó de nuevo el ojo a la mirilla: fuera no había nadie. Volvió a la cama y pasó el resto de la noche despierto y tiritando de miedo. A la hora de siempre se vistió, salió de casa y tomó el autobús. En un principio había planeado ir al restaurante en taxi, pues lo extraordinario del suceso justificaba el dispendio, pero finalmente optó por un medio colectivo, ya que viajar en compañía de los vivos le hacía sentirse más protegido. La razón de que se personara en Casa Cecilia, cocina riojana, no era cumplir con sus obligaciones laborales, sino referir lo ocurrido a su compañero de trabajo y recabar su ayuda, porque sabía, por haberlo hablado en repetidas ocasiones durante las largas horas compartidas en la cocina, que aquél, en su país de origen, había sido aspirante a monje y, por consiguiente, ducho en temas de ultratumba. El interpelado escuchó la historia con la atención debida y aconsejó al señor Larramendi visitar cierto monasterio del Tíbet, donde le echarían humo y le venderían abalorios muy eficaces para contingencias como la suya. El señor Larramendi, cuyos haberes a duras penas le permitían ir al Montseny, dio por evacuada la consulta y, sin agregar nada acerca de sus intenciones, salió corriendo.

Acabado el relato, estuve pensando un rato y al final dije lo que me pareció más razonable.

—Todo esto suena a delírium trémens.

—No digas bobadas —exclamó el butanero descruzando las piernas y volviéndolas a cruzar para combatir el anquilosamiento—, los occidentales estáis dispuestos a inventar cualquier etiología con tal de no dar crédito a la presencia de fantasmas entre nosotros, cosa, por lo demás, innegable. Negáis su existencia porque os dan miedo. Sin motivo alguno, ya que los fantasmas son inofensivos, salvo unas pocas excepciones que ellos mismos, como colectivo, reprueban. Los muertos de muerte violenta suelen regresar, como si les costara aceptar una separación del mundo demasiado brusca. Los ahogados siempre vuelven, y también, aunque con menos frecuencia, los que mueren de peste u otra epidemia similar, como si quisieran quejarse de haber sido elegidos al azar para engrosar una estadística. Los suicidas, en cambio, nunca regresan, excepto los que en el último momento se arrepienten y no pueden echarse atrás. En todos los casos, las apariciones carecen de propósito firme. A veces encierran una intención admonitoria: advierten de peligros o tratan de impedir decisiones erróneas por parte de los vivos, pero en esto tienen escaso éxito, porque hablan bajito y se expresan mal, de un modo confuso y fragmentario muy poco convincente. En la mayoría de los casos se conforman con dar pena, aunque lo normal es que den unos sobresaltos morrocotudos, lo que los entristece aún más. No es cierto que lleven sábanas. Salvo los faraones y otros poderosos de la antigüedad, los muertos se van al otro mundo con lo puesto y allí no tienen ocasión de renovar el vestuario, así que se presentan con sudarios, vendajes y envoltorios similares, a menudo verdaderos harapos. Tampoco arrastran cadenas ni emiten sonidos siniestros. Desde el punto de vista energético, van con el depósito en reserva, con lo que mal podrían mover cosas pesadas ni ejercer violencia alguna. A veces provocan sin querer corrientes de aire y de ahí se siguen chirridos de puertas mal lubricadas y ruido de objetos que se caen o se desplazan. La nocturnidad, a la que se acogen por timidez, la imaginación popular y el miedo, magnifican una pobre puesta en escena e inventan amenazas donde no las hay. Los fantasmas son mejores que los vivos: a los seres humanos nos mueve el interés, y los muertos, por definición, carecen de intereses. Si no se les hace caso, insisten, pero al tercer o cuarto desaire, se desvanecen para siempre. Todo esto se lo habría explicado yo al señor

Larramendi, si hubiera tenido valor y paciencia para escucharme.

En el transcurso de esta instructiva plática se había ido congregando en la acera, frente a nosotros, un grupo de mirones en constante aumento, sin duda atraídos por la vestimenta y los rasgos de mi compañero y por las zapatetas que yo daba a causa de los calambres provocados por la postura del loto. Convencidos de estar presenciando una actuación callejera, algunos transeúntes bondadosos depositaban en el suelo monedas de baja denominación. Una recaudación, siquiera exigua, me habría venido de perlas, pero la publicidad era demasiado peligrosa para mí, de modo que preferí ceder el lucro al butanero, me puse en pie no sin esfuerzo y abandoné el lugar a la carrera.

13

APALF

En la esquina de la calle Provenza con Enrique Granados había una cabina telefónica preservada de intervenciones disolventes por la relativa proximidad de una comisaría de policía. Me introduje en ella, desmonté el aparato y manipulando los cables conseguí contactar con la señorita Westinghouse en su casa.

Henchida de orgullo me contó cómo, con ayuda del listín, había confeccionado una lista de dieciocho agencias de formación y contratación de modelos y había ido llamando sucesivamente a cada una de ellas para interesarse por una tal Olga Baxter, en el mundo, Rosario Perales. Por mor de la verosimilitud, fingía ser una diseñadora de alta costura, ora de Milán, ora de Nueva York, llamada Anisette Funding. En la primera agencia de la lista le habían rogado muy educadamente que tuviera la bondad de esperar un rato mientras consultaban el fichero y, transcurridos unos minutos, le habían dicho, con la misma educación, que tal persona no figuraba en sus archivos. Esta respuesta, con mínimas variaciones, se había repetido en sucesivas llamadas, hasta que finalmente, en una agencia, a la mención de Olga Baxter y de Rosario Perales había seguido un breve silencio y a éste la rotunda negación de haber oído nunca aquel nombre, dicho lo cual habían colgado sin más ceremonia. Convencida de haber dado en el clavo, la señorita Westinghouse había dejado de llamar al resto de las agencias incluidas en su lista. Le felicité por su ingenio y su destreza, anoté los datos de la agencia de desabrido trato que ella me dictó y, como no estaba lejos de donde me encontraba, decidí visitar el lugar en persona.

Un corto paseo me llevó, en la calle de Pau Claris, cerca de la Diagonal, ante un vetusto edificio de piedra erosionada y ennegrecida por el tiempo y decorada con relieves de plantas y animales domésticos, entre los que reconocí una rata y un murciélago. Por una puerta cochera abierta de par en par entré en un zaguán amplio y oscuro, al fondo del cual se distinguía una garita de conserje sin conserje. Ascendí los peldaños de mármol de la escalera noble que conducía al piso principal y me detuve ante una puerta de madera de lustroso barniz en la cual un rótulo de latón dorado decía:

LLEWELYN DE PARÍS
INTERNATIONAL SCHOOL OF MODELLING

Más abajo otro rótulo del mismo material decía simplemente:

PUSH

Empujé la puerta, giraron los goznes sin ofrecer resistencia y me encontré en un recibidor bien alumbrado en el que había un mostrador moderno, bonito y vacío. Esperé un rato, emitiendo toses y haciendo ruidos discretos para avisar de mi presencia, hasta que se abrió una puerta y apareció un hombre joven, guapo, moreno y sonriente, vestido con un elegante traje negro, camisa blanca, corbata roja y zapatillas de footing. Sin mediar pregunta, me tendió la mano y dijo:

—Buenas tardes. Yo soy Llewelyn de París. Jo, jo, leo el estupor en su semblante. Por supuesto, no me llamo Llewelyn. Mi nombre es Pedro Portusachs. Iba para publicitario pero me pilló de lleno la crisis del sector y pronto me fui al carajo. Sin embargo, esta corta e infortunada etapa me bastó para advertir que el mercado presentaba una fuerte demanda de modelos y el país una amplia oferta de chicas bien alimentadas, con buen cutis, buenos dientes, buen pelo, altas, esbeltas y con aire europeo. Belleza, potencial y ganas. Todo lo contrario de nuestras madres, dicho sea con el máximo respeto. Así que monté esta escuela y me va de cine. Como soy guapo y trabajo rodeado de titis, unos piensan que soy gay y otros que soy un vivales que se vale de la empresa para beneficiarse a las alumnas. Ni una cosa ni la otra, amigo mío. Mi lema es: en el trabajo, seriedad. ¿Cuál es el suyo, si se puede saber?

—No tengo uno fijo —respondí.

—Me refiero a su nombre.

—Ah. Asmarats, subteniente Asmarats, de la policía.

—Qué coincidencia. Ayer estuvo aquí un subteniente de la policía que también se llamaba Asmarats.

Pillado nuevamente en falso, sólo se me ocurrió un vacilante subterfugio.

—Bueno —balbucí—, a veces voy disfrazado... Y otras veces envían a alguien en mi nombre... Como decimos en Jefatura, cada caso tiene su Asmarats.

—Comprendo, comprendo —dijo el jovial señor Llewelyn, que, por suerte para mí, no prestaba la más mínima atención a lo que decían los demás—. Y doy por sentado que el caso al que ambos hacen referencia es el de Olga Baxter, alumna de esta escuela hasta hace unos días. Un asunto triste en verdad. A una escuela de estas características, un escándalo le causa un grave perjuicio. Y para mí es un duro golpe. Tengo poco trato con las alumnas, a las que prefiero denominar pupilas, a veces con acento en la u: púpilas. Lo mío es la estrategia comercial: la gestión, el control y análisis de los costos y otras actividades administrativas derivadas de mi cargo. De cómo hacer la pasarela, posar para las cámaras, vestirse o maquillarse, no sé nada. No soy gay. La escuela cuenta con una plantilla de profesores y profesoras altamente cualificados. Ellos se ocupan de los aspectos pedagógicos. Yo, de supervisar y motivar al equipo. Terminado el período de formación, doy consejos a las nuevas modelos sobre cómo afrontar el futuro y, llegado el momento, tramito las ofertas de trabajo, velando por la seriedad y solvencia de los clientes y la correcta redacción de los contratos. De esta actividad me quedo con un porcentaje. Soy agente, pero no soy gay. Liderazgo, experiencia, trabajo e implicación.

Se detuvo para verificar el efecto de sus palabras y, satisfecho de mi admirativa expresión y mi atento silencio, prosiguió:

—La pobrecita Rosario Perales, alias Olga Baxter, no siguió en vida un camino diferente al de las demás. Se matriculó, pagó las cuotas, siguió los cursos del programa, hizo algún trabajo esporádico y eso fue todo. Estaba en los inicios de una carrera cuyo desenlace nunca sabremos, porque se truncó a causa de un loco furioso con el que tuvo la mala suerte de cruzarse. De todo ello hice cumplido reporte a la policía, la cual, por si le interesa saberlo, se llevó la documentación relativa a la señorita Baxter, incluido el cartapacio de fotos o, como decimos aquí, el book. Aparte de esto, nada más puedo decirle, subteniente Asmarats. Ha sido para mí un gran placer conocerle. Quedo a su disposición. Buenas tardes.

—Buenas tardes y muchas gracias —respondí—. Ha sido usted muy amable. ¿Tiene coche?

—No. Voy en moto a todas partes. Tengo una Suzuki de quinientos centímetros cúbicos, pero no soy gay.

Salí satisfecho de la entrevista. No esperaba que nadie me contara otra cosa que mentiras ni adujera sino falsas coartadas, pero, con un embuste de aquí y otro de allá, iba reuniendo las piezas del rompecabezas. Ahora sólo faltaba agregar unas pocas más para obtener una imagen de conjunto coherente y reveladora o, cuando menos, exculpatoria de mi persona. Pero de momento el tiempo se me echaba encima y debía apresurarme si no quería llegar con retraso a la cita en la Corsetería Muñoz. Recurrí de nuevo al footing y llegué con tanta puntualidad como sofoco al insigne establecimiento, en cuya puerta había sido colgado el letrero de CERRADO y en cuyo interior hallé enzarzados en animada charla al señor Muñoz, a Fortunata y a la señorita Westinghouse, a la que Fortunata había informado de la reunión de la mañana y no se quería perder la de la tarde por nada del mundo. Al verme me preguntó si había averiguado algo más acerca de la agencia de modelos.

—De ahí vengo, precisamente —dije, y a renglón seguido hice un resumen de la entrevista con el emprendedor señor Llewelyn, que fue recibido con un silencio desencantado, por lo que, sin más, cedí la palabra al señor

Muñoz, el cual, con mucha prosopopeya, abrió un manoseado bloc de espiral que había sobre el mostrador y echó una ojeada a lo escrito en una página, de cuyo margen sobresalía una tira de papel a modo de punto.

—Confrontados los datos atinentes al caso —dijo tras un prolongado carraspeo—, he podido constatar lo que ya había anunciado anteriormente, a saber, que las letras APALF son, efectivamente, unas siglas. No, en rigor, un acrónimo, pues para ello sería preciso poder pronunciar las siglas como si constituyeran un vocablo o neologismo, como, por ejemplo, la ficticia pero no por ello menos temible SPECTRA, o los florecientes almacenes SEPU.

Hizo una pausa para darnos tiempo a asimilar aquella erudita precisión y sólo cuando vio nuestra atención puesta en sus labios, siguió hablando en voz más baja y un tono misterioso.

—Las citadas siglas, como me dictaba la memoria y corroboran los archivos de mi difunto padre, corresponden a una organización clandestina, surgida en Barcelona a principios de la década de los sesenta y dedicada, como tantas en aquellos años oscuros, a la lucha contra la dictadura franquista. Su objetivo era oponerse al plan de desarrollo impulsado por don Alberto Ullastres, don Mariano Navarro Rubio y don Enrique Fuentes Quintana, e integraban dicha organización destacados empresarios catalanes, convencidos de que el paquete de medidas destinado a relanzar la economía española redundaría en perjuicio de la catalana, institución arcaica, por no decir feudal, necesitada de proteccionismo frente a los productos extranjeros y de mano firme ante las ínfulas cada vez mayores de una clase obrera devenida pieza clave del crecimiento. Guiados por esta idea, decidieron presentar batalla a los dictados de Madrid, que les instaba a invertir el capital acumulado en los nuevos sectores, cual eran la construcción, los transportes y el turismo, y, arrostrando los riesgos que comportaba el desacato a la dictadura, llevarse todo el dinero a Suiza. Así nació APALF.

—¿Qué significan las siglas? —pregunté.

—Son las iniciales de un antiguo grito de guerra: Andreu, porti'm a la fàbrica! Los miembros de APALF, cuidadosamente seleccionados, juraban, en un sencillo pero muy emotivo rito iniciático, mantener el secreto incluso bajo amenaza de caución, ayudarse mutuamente si las circunstancias lo exigían, y no dejar una pela en las arcas. Unos héroes. Algunos, además, buenos clientes de esta casa. Yo por entonces era sólo un joven aprendiz, pero todavía recuerdo haberles visto alguna vez, eligiendo cotillas y sostenes...

—No se pierda en remembranzas, señor Muñoz —le suplicamos.

—Disculpen —dijo enjugándose una lágrima—. Éste es un pequeño establecimiento, pero yo vengo de una antigua estirpe de comerciantes. Por lo demás, el resto de la historia es breve: los temores de aquellos prohombres no eran infundados. El plan de desarrollo destruyó buena parte del tejido social de esta próspera región, mientras otras, sumidas en un atraso secular, se volvían pujantes. Pero el objetivo fundamental de la organización se pudo cumplir. No fue fácil. Hubo que recurrir a sobornos. Hubo filtraciones, interrogatorios, más de uno se fue de la mui. Al final no pasó nada. Con los años se calmaron las aguas, las viejas pasiones se atenuaron, los proyectos cayeron en el olvido... y la organización se disolvió.

—Pero ahora —dijo la señorita Westinghouse—, ha renacido de sus cimientos, como el ave Phoenix.

—Tal se diría —convino el señor Muñoz, recobrado su habitual talante de afable vendedor—. Pero en este terreno no puedo serles de ninguna utilidad. Que yo sepa, ningún miembro de la nueva APALF ha venido a la tienda.

—Si alguno hubiera venido, ¿habría revelado su pertenencia a la organización? —pregunté.

—Sin duda —repuso el señor Muñoz—. A los miembros de APALF mi padre les hacía el diez por ciento.

Reinó un largo silencio en el histórico local. Lo rompí yo para preguntar al señor Muñoz si podía utilizar el teléfono para hacer una llamada interurbana. Con su imperecedera gentileza, me indicó que le siguiera, me condujo a un diminuto gabinete separado de la tienda propiamente dicha por una puerta estrecha, disimulada tras una cortina, encendió la luz y me dejó solo, cerrando la puerta a sus espaldas. En el gabinete había una mesa antigua, de madera, con cajones, una silla giratoria y unos archivadores metálicos. De la pared colgaban dos fotografías enmarcadas, una de Juan Pablo II vestido de blanco y otra de Bruce Lee con uniforme de karateca. Ambos se miraban desafiantes. Sobre la mesa había un teléfono de góndola, un bloc de notas y un bolígrafo.

Me senté en la silla, descolgué el teléfono y llamé a información. Obtuve el número del Sporting Club Santa Clara, lo anoté en el bloc de notas, colgué y marqué el teléfono del club. Al primer timbrazo respondió una voz jovial.

—Sporting Club Santa Clara, habla Mingo, ¿en qué puedo servirle?

—Buenas tardes, Mingo —exclamé sin disimular mi alegría al reconocer al servicial y avispado recepcionista—. Soy Asmarats. ¿Se acuerda de mí? Ayer estuvimos juntos en la sauna.

—Ah, sí, el subteniente Asmarats. Me alegro de oírle, subteniente. Ahora bien, si su intención era hablar con don Bernabé de Paquito, no podré complacerle. Don Bernabé de Paquito ha llamado a primera hora para decir que debía ausentarse un día, quizá dos. Por lo visto le han pedido que arbitre un torneo de tenis masculino fuera de Barcelona y no ha podido negarse.

—Es natural. Le debe ocurrir continuamente —comenté.

—No crea. En el tiempo que llevo en el club, y va ya para seis años, no le han invitado ni una sola vez. Ni a arbitrar ni tan siquiera a recoger pelotas. No vea usted cómo estaba de nervioso.

—Bueno, conociéndole, estoy seguro de que desempeñará sus funciones con probidad y acierto. Pero si él no está, tal vez usted pueda hacerme un pequeño servicio. No sé si conoce a una socia del club de nombre Normalina Callado.

—No me suena. Hay muchas socias en el club.

—¿Tendría la bondad de ir a buscar su ficha? Me gustaría verificar un dato.

—Con mucho gusto. Tardaré un minuto. No cuelgue.

Mientras esperaba fui abriendo los cajones del escritorio. Prefiero no pensar qué habría hecho si hubiera encontrado dinero en uno de ellos. Como sólo había documentos comerciales, me ahorré el dilema moral. La voz de Mingo me llegó de nuevo.

—Hoy no está usted de suerte, subteniente. La ficha de la señorita Callado no figura en el fichero. Si era socia, como usted dice, probablemente se ha dado de baja y la ficha ha sido retirada. Después de lo ocurrido con la señorita Baxter, no me extrañaría que hubiera una desbandada.

—Y más si la señorita Callado y la señorita Baxter eran amigas, como tengo entendido. ¿Usted cree que la señorita Callado habrá vaciado su taquilla?

—No se lo puedo asegurar, pero si se ha dado de baja del club, es casi seguro.

—Le agradezco mucho su información. Y, si no es abusar de su paciencia, le pediré un último favor. ¿Podría mirar si es socio del sporting club un tal señor Portusachs?

—¿El también llamado señor Llewelyn? No me hace falta mirar el fichero: lo conozco personalmente. Viene casi a diario. Hace tonificación, jacuzzi, masaje y rayos UVA. Pero no creo que sea gay.

Le di las gracias, colgué y me reuní de nuevo con el señor Muñoz y sus dos parlanchinas clientas. Del titubeo de los tres deduje que habían estado hablando de mí. En efecto, tras intercambiar miradas de inteligencia y con muchos rodeos y circunloquios, la señorita Westinghouse me dijo que habían analizado mi situación económica y, a la vista del resultado del análisis y aun a costa de herir mi orgullo, habían decidido hacer una colecta para ayudarme. Por desgracia, añadió de inmediato, ni Fortunata ni ella disponían de efectivo y el señor Muñoz no podía efectuar un gasto cuyo asiento contable le habría planteado serias dificultades en caso de practicarse una auditoría. O sea que nada.

Les agradecí la buena voluntad y, para aprovechar su generosa disposición, les pregunté si alguien me podía prestar instrumental de manicura. Todos convinieron en que un arreglillo no me vendría mal, pero dado mi estado general, no creían que las uñas constituyeran una prioridad. No obstante, y ante mi insistencia, Fortunata levantó del suelo su pesado bolso, se lo colocó en la falda, lo abrió, hurgó un rato y finalmente sacó un pequeño estuche con cremallera y me lo ofreció, encareciéndome mucho su cuidado y su pronta devolución. Prometí hacer ambas cosas y reiterando mi agradecimiento general, me despedí del trío y una vez más me eché a la calle.

14

EL MISTERIOSO COCHE NEGRO

Siendo apenas las diez cuando salí de la Corsetería Muñoz, tenía tiempo sobrado para recorrer a paso cansino la distancia que separaba la calle Portaferrissa de la de Sant Hilari, pero preferí ir corriendo para dar un rodeo y ver a mi hermana, a la que debía una disculpa por las molestias que le había ocasionado, de la que quería despedirme en previsión de que mis planes no diesen el resultado apetecido y dejase de verla durante varios años y, de paso, darle un sablazo.

Persona de hábitos inalterables por falta de caletre, no me costó dar con Cándida en el callejón lóbrego y mal iluminado donde solía echar el ancla para exhibir durante largas horas no tanto sus menguados encantos como su infinita paciencia.

Al verme llegar y llevada de su instinto, salió corriendo. Con la falda ceñida, zapatos de tacón alto remendados con esparadrapo y unas piernas cortas y rebutidas, mal podía competir con alguien entrenado en la práctica del footing. Le di alcance y mientras ella recuperaba el ritmo cardíaco y desembozaba la tráquea, la tranquilicé, le di una versión simplificada y totalmente falsa de mis actividades y finalmente, con halagos y promesas, conseguí que me llevara a una taberna alemana situada a corta distancia. Era una tasca barnizada en grasa fósil donde servían como plato único salchichas de Frankfurt en diferentes grados de calcinación y cuyo nombre, según rezaba su historiada muestra, era

Sauerkraut

aunque la gente del barrio, siempre reacia a lo extranjero, lo había rebautizado Sor Eructo. Como a Cándida le regalaban una consumición por cada cinco infelices que conseguía llevarles de grado o por fuerza, ingerí a cuenta de su próxima comisión un producto cuyo sabor disimulaba la mostaza y cuya textura camuflaba un chusco empapado en sebo.

Concluida mi cena, pedí prestado un bolígrafo al cocinero y en una servilleta de papel escribí:

«Estimado subteniente: No pierda de vista al señor Larramendi. Es cuestión de vida o muerte. Y no le diga nada al comisario Flores. Mañana espero tener pruebas fehacientes sobre el verdadero asesino de Olga Baxter. Un cordial saludo».

—Te confío esta misiva —dije a Cándida al tiempo que le entregaba la servilleta.

—¿Es de amor?

—Déjate de memeces y escúchame bien: mañana por la mañana, temprano, te pones tus mejores galas, te vas a Jefatura y preguntas por el subteniente Asmarats. Cuando te reciba, le das la misiva. En mano. Sólo a él. ¿Lo has entendido? Sólo al subteniente Asmarats.

—¿No se me quedarán?

—¡De ninguna manera, mujer! Tú limítate a llevar la misiva. Si en casa tienes un sobre, la metes dentro. Queda más fino y sólo la podrá leer el interesado.

Con expresión suspicaz, Cándida había estado leyendo lo escrito en la servilleta.

—No entiendo nada —dijo—. ¿Quién es Olga Baxter?, ¿la chica que te gusta? Ay, nunca me cuentas nada...

—Déjalo estar, Cándida. El que tiene que entender la nota la entenderá. Y ahora, me voy. Nos veremos pronto. No hables con nadie ni de la nota ni de que nos hemos visto. Ah —añadí al albur pero convencido de dar en el blanco—, y no dejes el tratamiento de belleza: te está sentando de maravilla.

Las campanas de la parroquia tocaban las doce cuando llegué, cansado y sudoroso, a la esquina superior de la calle de Sant Hilari. A simple vista, parecía tan tranquila y solitaria como de costumbre, pero no cometí la imprudencia de adentrarme en ella. El paseo de San Gervasio, por contra, con su animada circulación, ofrecía más posibilidades de no ser visto o, al menos, de no ser agredido. Busqué un escondite desde el que vigilar la entrada del pasaje y lo encontré entre dos contenedores de basura, cuya altura me cubría si permanecía en cuclillas en el estrecho espacio divisorio. Allí me acomodé y me dispuse a esperar. Quien se dedica a la detección, sea por inclinación vocacional, sea por tradición familiar, sea, como en mi caso, por no tener más remedio, ha de estar dispuesto a invertir mucho tiempo en tediosa espera. Aproveché el mío para familiarizarme con el contenido del estuche de manicura que me había prestado Fortunata, a saber, unas tijeritas curvas, una especie de lanceta, una espátula de metal bastante resistente y una lima. No era gran cosa, pero no me podía quejar.

Sobre la una, como la vez anterior, llegó el coche negro y se detuvo a la entrada del pasaje, a escasos metros de donde yo estaba. Casi me lo pierdo, porque sin querer llevaba rato dando cabezadas. Tampoco pude anotar la matrícula, por tener, una vez me hube espabilado, toda la atención prendida en lo que ocurría.

Se abrió la puerta trasera del coche y del interior salió el señor Larramendi dando tumbos. Iba tan cocido que echó a andar por la callejuela sin cerrar la puerta del coche. El ocupante del asiento delantero pulsó el elevalunas automático para bajar la luna o ventanilla y le increpó.

—¡Eh, tú, la puerta!

El señor Larramendi volvió sobre sus pasos, cerró la puerta y reemprendió el camino hacia su casa haciendo eses. El coche esperaba sin apagar el motor. Confiando en que sus ocupantes estarían pendientes de las acciones del señor Larramendi, meada incluida, abandoné el escondite y me deslicé a gatas hasta el envés o parte posterior del coche. Una vez allí, saqué la espátula y la introduje en la cerradura del maletero. De niño había aprendido a desvalijar coches, conque no me costó abrir la portezuela y deslizarme en el maletero. Sólo después de haber cerrado, me di cuenta de que la puerta trasera no se podía abrir desde dentro. Tratando de forzar el mecanismo, me cargué la espátula y la lima sin obtener resultado. Mientras tanto, el coche había empezado a rodar lentamente por la callejuela. Por suerte, en el maletero no había rueda de recambio ni otros objetos con los que hacerme daño y su capacidad permitía a un chisgarabís como yo moverse con relativa holgura. Me di la vuelta y palpé la chapa que separaba el maletero de los asientos posteriores. Era de un material duro, pero no metálico. Con la lanceta fui horadando la chapa poco a poco. No confiaba en abrir un boquete por donde pasar el cuerpo, pero sí un orificio que me permitiera ver a los ocupantes del vehículo y oír lo que decían. El vaivén no facilitaba la faena: cada curva y cada frenazo me hacían rodar por el maletero y luego me costaba encontrar a tientas la herramienta y el proyecto de orificio. La circulación, empero, no era densa a aquella hora y la conducción, en general, era fluida.

Cuando hube practicado una rendija como de dos dedos de diámetro apliqué a ella un ojo y una oreja sucesivamente. Así conseguí ver la silueta de dos cráneos masculinos recortados contra el parabrisas y, tras éste, las farolas de alumbrado perseguirse contra el cielo oscuro. Luego capté fragmentos de una discusión sobre la temporada en curso del Barça, respecto de la cual los dos hombres se mostraban pesimistas, si bien uno culpaba del desastre al presidente Núñez y el otro a Terry Venables. En varias ocasiones estuve tentado de acercar la boca al agujero y exponer mi opinión sobre el tema, pero me contuve.

Los ruidos provenientes del exterior bajaban de intensidad, de lo que deduje que íbamos saliendo de las calles congestionadas del centro, pero sin abandonar la zona urbana, o habríamos acelerado al entrar en una autopista. Como no tenía reloj, no pude calcular cuánto duró el trayecto. Se me hizo largo por la incomodidad y la incertidumbre, pero no debió de serlo mucho. Finalmente el coche se detuvo, y el conductor hizo sonar el claxon. En el silencio subsiguiente ladraron varios perros, alarmados por el intempestivo bocinazo. Transcurridos unos segundos percibí un sonido mecánico, como el deslizarse de una puerta por un riel engrasado. El coche avanzó unos metros, rodó de nuevo la puerta y se paró el motor. Por mi agujero entró la luz de un fluorescente. Sin duda habíamos entrado en el garaje de una casa particular.

Los ocupantes del coche se apearon, cerraron las puertas del coche y anduvieron unos pasos; se abrió y cerró una puerta de madera y se apagó la luz del garaje. Una vez solo, busqué la manera de salir del maletero. Tras varios ensayos, descubrí que el respaldo de los asientos traseros se podía abatir hacia delante para permitir el transporte de bultos. Sin problemas abandoné mi encierro por esta vía, salí del coche con mucho cuidado y busqué a tientas la puerta del garaje. La encontré a costa de algunos golpes en la cabeza y otras partes del organismo, la abrí: una escalera débilmente iluminada conducía al piso superior; por lo visto me encontraba en una casa con garaje y dos plantas. Subí de puntillas, me di con otra puerta, abrí una rendija, entró luz a raudales. Con escrupuloso sigilo acabé de abrir la puerta y me encontré en un pasillo alfombrado. De un extremo del pasillo llegaban voces masculinas. Avancé reptando por la alfombra para no ser descubierto si alguien se asomaba. Cuando llevaba recorridos unos metros sentí en la cara el contacto de una pelambrera sedosa y cálida. Me volví y me encontré en compañía de un gato gordo que, tal vez atraído por el olor que forzosamente llevaba incorporado a fuerza de visitar Casa Cecilia, cocina riojana, se empeñaba en hacerse amigo mío. Ronroneando llegamos los dos al final del pasillo. A la derecha se entraba en una sala de amplias dimensiones, elegantemente amueblada, con cortinas en los ventanales y cuadros en las paredes, y a la sazón ocupada por un grupo de hombres enzarzados en una acalorada discusión. Salvo dos jóvenes, de atuendo moderno, todos iban elegantemente vestidos, eran de mediana edad y aspecto. Su porte y los rasgos fisonómicos descritos, unidos a su decidido empeño en hablar con voz estentórea y ademanes elocuentes, sin escuchar una palabra de lo que decían los demás, mostraba bien a las claras que eran gente de posición y rango, acostumbrada a impartir órdenes sin hallar contradicción y a recibir coba en elevadas dosis. Quizá me habrían sonado sus caras de haber sido lector de prensa diaria, pero no lo soy, conque me quedé in albis. La excepción la constituían los dos jóvenes ya dichos, en los que reconocí al punto a los falsos agentes que unos días atrás me habían sacado del sanatorio con la supuesta misión de lanzarme a la búsqueda de un perro extraviado para luego atribuirme el asesinato de Olga Baxter, como he contado al inicio de este relato. Probablemente eran ellos los que me habían traído en coche sin saberlo, los que cada noche acompañaban al señor Larramendi y su tablón hasta la esquina de la calle de Sant Hilari y los que, hasta unos días atrás, dejaban a Olga Baxter a la puerta de su casa. Ahora su papel en la reunión debía de ser subordinado, pues se mantenían en un extremo, quietos y mudos, en actitud relajada pero atenta. Los otros estaban distribuidos por la sala, quiénes sentados en butacones, quiénes a pie firme, quiénes, por último, midiendo la mullida alfombra con sus pasos. Algunos sostenían vasos de whisky; algunos fumaban cigarrillos; algunos, gruesos puros.

Tendido en el suelo y con el gato pegado a la mejilla izquierda, me puse a escuchar lo que allí se hablaba. Al cabo de muy poco estaba tan absorto en el tema de la discusión que olvidé mi condición de oyente clandestino y asomé la cabeza y parte del cuerpo. Uno de los que deambulaban me vio y advirtió a otro que, arrellanado en un butacón de cuero y ataviado con un batín corto de seda carmesí en vez de americana y un fular de seda gris en vez de corbata, tenía pinta de ser el dueño de la casa. Antes de hacer mi presencia más conspicua, me retiré. Al hacerlo choqué con el gato. Éste emitió un maullido y se fue, indignado. El dueño de la casa minimizó la inquietud de su interlocutor.

—No hagas caso —dijo—. Es el gato de la nena.

—Pues para ser un gato, tiene una cara de hijoputa que da grima —adujo el otro.

—Sí, chico, ahora está de moda esta raza —repuso el dueño de la casa desde su butaca de cuero—. Cada año cambiamos de gato. Un año parece un puerco y al año siguiente, una lombriz. Mi dinero me ha costado, no creas.

—Nosotros —intervino un tercero— tuvimos un loro americano más caro que la puñeta. Un capricho de mi hijo pequeño: Papa, cómprame un loro, papa, cómprame un loro. Por lo visto en la escuela todos tenían un loro. Al final, compré el jodido loro y se nos murió en menos de un año. Eso sí, a la hora de hablar, el tío era un fenómeno: decía «lorito real» y «dame la patita, maricón», y recitaba dos estrofas de «La fageda d'en Jordà».

—Bueno —terció el dueño de la casa desde su butaca de cuero—, ¿y si volviéramos al asunto?

Superada la interrupción y solventado con bien mi apuro, se reanudó un debate que, debido a su importancia para la comprensión y resolución del presente caso y también al interés intrínseco de su contenido, merece ser objeto de nuevo capítulo.

15

CUESTIÓN DETERMINANTE

Calvo, menudo y sonrosado de tez, un caballero golpeaba un jarrón chino hasta quebrarlo en un vano intento de restaurar el orden.

—¡Silencio, por favor! —gritaba el caballero del jarrón quebrado—. Antes de ponernos a cotorrear estábamos a punto de llegar a un acuerdo. Llevamos más de dos horas discutiendo y vamos para atrás como los cangrejos. A este paso ya no valdrá la pena tomar una decisión, si es que llegamos a tomarla.

—A mí nadie me da órdenes —gritó un caballero muy gordo, vestido con un traje marrón y un chaleco de punto amarillo cuya botonadura circundaba la parábola de su barrigota— y menos aún me llama cangrejo. Un respeto o aquí se arma. Yo, si quiero tomar una decisión la tomo; y si me lo quiero repensar, pues me lo repienso. Y punto.

—No perdamos la compostura, Willy —rogó la sosegada voz del dueño de la casa desde su butaca de cuero—. Todavía tenemos tiempo para llegar a un consenso. Ahora bien, si me permitís hacer balance de la situación, no veo que haya nada que consensuar si realmente queremos resolver la cuestión de una manera definitiva.

—¿Ves como me queréis imponer una decisión? —protestó el iracundo Willy—. ¿Y si me niego? ¿Y si me sale de mis narices de cangrejo negarme? ¿Se hace igual o no se hace? Éste es el quid de la cuestión.

Terció un caballero de aspecto aniñado, mirada extraviada y cara de liebre:

—El quid de la cuestión, tal como yo lo veo, es éste: primero, que a nadie le gusta tomar una decisión tan drástica; segundo, que no hay otra salida.

—Hasta ahora —señaló el iracundo Willy— Magí no nos ha dado motivos para dudar de su lealtad.

El caballero del jarrón quebrado disentía.

—No se trata de lealtad, Willy. Todos conocemos a Magí y lo apreciamos. De lo que se trata es de su discreción. Magí sabe demasiado. Mejor dicho, Magí lo sabe todo. Todo lo de todos. Y últimamente anda un poco confuso. A mi juicio, no está bien de la azotea. A la mínima presión que reciba, largará lo que sabe. Y entonces será demasiado tarde para discutir cuál es el quid de la cuestión.

Un caballero de recortada barba roja se adelantó hasta el centro de la sala.

—Yo estoy de acuerdo con lo dicho, pero también estoy de acuerdo con Willy. Personalmente, me declaro en contra de la pena de muerte. Así lo expuse hará menos de un mes en mi ponencia sobre la liberalización de los aranceles.

—No se trata tanto de una cuestión jurídica —interrumpió el caballero de la cara de liebre— como de...

—Y antes —prosiguió imperturbable el caballero de la barba roja— en el IX Congreso de la AIFJ celebrado en Estrasburgo. Bella ciudad. Al término de la sesión, una prima del rey de Suecia vino a felicitarme por mi intervención. Soy la prima del rey de Suecia, me dijo ella misma con mucho desparpajo. No estaba de mal ver, la chavala. Me dijo: Monsieur Cornudella... Yo le di el alto: Alteza, je ne suis pas Cornudella, le dije. Cornudella es mi segundo apellido. En Espagne, d'abord le nom du père et après le nom de la mère. Cornudella c'est ma maman.

—Por cierto, que en Estrasburgo —dijo el caballero del jarrón quebrado— hay un restaurante, justo detrás de la catedral, que hacen una butifarra del perol de puta madre. Es curioso, ¿no?

—¿Has probado la de Can Bordius, a la salida de Olot? —preguntó el dueño de la casa desde su butaca de cuero.

—Para que fuera pena de muerte —argumentó con paciencia el caballero de la cara de liebre— harían falta argumentos jurídicos; de los que obviamente carecemos. En rigor, lo nuestro sería más bien una ejecución sumaria. En aras del interés común. Un concepto que pertenece al ámbito del derecho consuetudinario.

—¡Pero estamos hablando de liquidar a Magí, collons! —exclamó el iracundo Willy.

—Yo recomendaría obviar los nombres —propuso el caballero de la barba roja, también llamado no-Cornudella—. No conviene personalizar la decisión. Eso lo haría aún más penoso. El sujeto cuyo destino nos ocupa, sin llegar a ser amigo, fue en otros tiempos un conocido, un fiel colaborador. Desde hace años se ha marginado voluntariamente. Quizá obligado por las circunstancias, vete tú a saber, pero el hecho es que se ha separado de su círculo social, rompiendo, por así decir, las amarras. Según ha llegado a mis oídos, trabaja de cocinero y se hace llamar Larramendi. Si eso no es romper las amarras, ya me diréis lo que es.

De un sofá se levantó con dificultad un caballero de edad avanzada.

—Mi padre —declaró— me tuvo de muy mayor. Había hecho fortuna en Cuba antes de la independencia y antes, aún, había luchado en la tercera guerra carlista a las órdenes de Francesc Savalls; ya os podéis figurar cómo sería de mayor cuando me tuvo. Como era tan viejo, yo apenas lo veía: si no estaba en el trabajo, estaba en cama. Un solo día se ocupó de mí. Salimos de casa y fuimos al Turó Park. Tengo ochenta y dos años y todavía me acuerdo de aquel día como si fuese hoy. Era domingo. En un teatrito hacían puchinelis. El argumento de la obra era confuso. Pero al final, todos los puchinelis cogían porras y sartenes y mataban a palos al demonio. Entonces mi padre me puso en el hombro su mano trémula y esquelética y me dijo: Aprende, fill meu, aprende.

—No he entendido el símil —dijo el iracundo Willy—. Y a mí nunca me llevaron a ver puchinelis. A mí me hacían ir al palco del Liceo los domingos por la tarde. Desde entonces odio la música.

—¿No se podría prolongar el efecto de la droga? —dijo, dirigiéndose al dueño de la casa, el caballero del infortunado loro, que después de la referencia a su mascota no había vuelto a intervenir—. Si cada día pierde la memoria, a lo mejor aumentando la dosis hace una amnesia permanente. O se vuelve autista.

—No me parece viable —dijo el dueño de la casa desde su butaca de cuero—. Si entendí bien al especialista, el efecto de la droga es como el efecto de cualquier droga. Dura un rato y luego se pasa. Todos los procesos de esta naturaleza, sean estupefacientes, sean fosforescentes, sean arborescentes, caducan con el paso del tiempo. La ciencia lo dice y yo no engaño, como rezaba el anuncio.

—En tal caso, no busquemos soluciones en la ciencia y consideremos el aspecto moral —propuso no-Cornudella.

El caballero de cara de liebre se había sentado en el sofá que había dejado libre el caballero del vetusto padre, pero se volvió a levantar como impulsado por un muelle.

—¡Un momento! —dijo—. Si hemos de considerar aspectos morales, debo hacer una declaración eximente. Como sabéis, yo represento a muchos clientes internacionales. Unos son católicos, otros, protestantes, otros, ateos. En conjunto forman un ente exento de consideraciones morales o metafísicas: lo que Heidegger llamaba un *Dasein*. Mi deber, por lo tanto, es velar exclusivamente por los intereses globales del *Dasein* sin entrar en el aspecto moral de la operación que en cada momento se lleve a término.

—Quizá podríamos pedir un dictamen —propuso el iracundo Willy—. Para quedarnos más tranquilos. Un dictamen no vinculante, por supuesto.

—¿Y a quién se lo íbamos a pedir? —preguntó el caballero del jarrón quebrado.

—No lo sé —dijo el iracundo Willy—. Al síndic de greuges, por ejemplo...

—Nos mandará a paseo —dijo el caballero del vetusto padre.

A este comentario siguió un silencio, que aproveché para reflexionar. Como es natural, hasta entonces había seguido con suma atención la controversia, pues era obvio que entre los presentes se dirimía la comisión de un homicidio cuya víctima, de prosperar la opción de perpetrarlo, no era otra que el señor Larramendi. También era natural mi interés personal en impedir dicho homicidio, no tanto porque me importara un pito la desaparición de un borrachuzo, sino porque, según iba coligiendo de lo que allí se hablaba, obraba en poder del señor Larramendi información pertinente a mis problemas y a otros muchos asuntos tanto de ámbito privado como público. Para lo cual, como primera providencia, tenía que salir de allí y me devanaba los sesos buscando la manera de abandonar la casa sin ser atrapado y regresar al centro de la ciudad desde aquel remoto asentamiento en plena noche. Aún no había resuelto estos problemas cuando acaparó de nuevo mi atención el intenso toma y daca proveniente de la sala.

En un extremo del salón, sentado en el borde de una silla de respaldo recto había un caballero flaco, de aire enfermizo, con una nariz muy colorada. No había intervenido en la polémica, pero de vez en cuando meneaba la cabeza y murmuraba para sí:

—Uh, uh, Tarzán.

Ahora, aprovechando el silencio que había seguido al rechazo de la última propuesta, levantó la voz para decir:

—Se me ha ocurrido una solución. Genial. Una solución para desembarazarnos de Magí sin tomar ninguna iniciativa contraria a nuestros principios, incluidos los del señor *Dasein*.

—Mientras no sea una mentecatez —farfulló el iracundo Willy.

—Caramba, Willy, deja hablar a los demás —dijo el dueño de la casa desde su butaca de cuero—. Todo lo tiras por tierra. A ver esa solución, Tarzán.

El caballero así apodado se levantó pero se quedó en el rincón, como si tuviera la intención de volver a sentarse una vez concluida su intervención.

—Podemos persuadirle —dijo— para que se suicide.

—¿Veis como era una mentecatez? —exclamó ufano el iracundo Willy.

—Dejadme hablar —dijo el caballero apodado Tarzán—. El año pasado estuve de viaje de negocios en el Japón y allí me contaron que un empresario, cuando tiene problemas de liquidez, se hace el harakiri y a otra cosa, mariposa. Allí no lo llaman harakiri, sino de otra manera. Kabuki, me parece. Uh, uh, Tarzán. Un empresario hace suspensión de pagos, pongamos por caso, ¿vale? Pues el tío, sin esperar a que se constituya la junta de acreedores, se presenta delante del emperador y le dice: Majestad, la he cagao; con su permiso. Entonces el emperador, que para ellos es como un dios, le dice: tú mismo. Y el empresario saca una espada y sin más prolegómenos hace kabuki. Esto pasa de tanto en tanto, claro, pero en épocas de crisis, hay una lista de espera de hasta seis meses. Uh, uh, Tarzán.

—Pues vaya un espectáculo para el pobre emperador —dijo el caballero del infortunado loro en tono sarcástico—. Ya me gustaría ver al Borbón en una situación semejante.

—Allí los educan desde pequeños —aclaró el caballero apodado Tarzán—. Y la noción de la vida y la muerte es distinta en Oriente y en Occidente. En los restaurantes del Japón sirven un pescado que te lo comes y la palmas. Bueno, pues la gente lo pide. Y eso que es el plato más caro de la carta.

—Donde dan un pescado buenísimo —dijo el caballero del vetusto padre— es en Binibeca. Al menos la última vez que estuve. Claro que de eso hace más de cincuenta años. No sé si habrá cambiado. Me han dicho que ya no se puede ir a ses Illes.

El caballero llamado Tarzán, al percatarse del escaso eco obtenido por su propuesta, se había vuelto a sentar y parecía sumido en una profunda meditación subrayada a breves intervalos por su enigmático refrán. El caballero del jarrón quebrado acabó de hacerlo cisco para atraer de nuevo sobre sí la atención del grupo.

—Habiendo llegado a un punto muerto —dijo cuando los tuvo a todos pendientes de sus palabras—, propongo que procedamos a una votación. Si nadie se opone, podemos votar lo siguiente: ¿es o no conveniente y, en consecuencia, éticamente asumible, no en general, sino en las circunstancias particulares por las que atravesamos, el recurso a medidas extremas?

—Esto es un galimatías —dijo no-Cornudella—. La disyuntiva ha de ser clara. ¿Matamos a Magí, sí o no?

—Precisemos —dijo el caballero de la cara de liebre—. Nosotros no matamos a nadie. Si acaso, hacemos matar. No confundamos los conceptos.

—Bueno, pues eso: ¿hacemos matar a Magí?

Hasta entonces, los dos falsos agentes se habían mantenido al margen de la discusión, de cuyo discurrir parecían hacer caso omiso. Ahora, sin embargo, ambos cobraron vida, como de común acuerdo, y uno de ellos dio unos pasos hacia delante, levantó la mano y dijo:

—Con el debido respeto, aquí el compañero y un servidor desearíamos hacer una puntualización. Si al final se ponen ustedes de acuerdo y deciden dar el pasaporte al señor Larramendi, ¿han pensado quién lo hará? Lo digo porque si cuentan con mi compañero y conmigo, van listos.

—Ustedes harán lo que se les diga —repuso el amo de la casa desde su butaca de cuero.

—Nosotros haremos lo estipulado en el contrato —dijo el falso agente.

Y su compañero de falsedad corroboró esta afirmación con un vivaz movimiento de cabeza. El caballero del jarrón quebrado y ahora roto la emprendió con una mesita antigua para llamar de nuevo la atención sobre su persona.

—Se puede añadir una cláusula —dijo.

—Otra posibilidad —dijo el caballero de la cara de liebre— es encargarle el trabajo al chico aquel de la agencia de modelos. El que parece gay pero no lo es.

—¿Querrá? —preguntó el caballero del infortunado loro.

—Pagando, por supuesto —agregó no-Cornudella—. La otra vez no parecía tan melindroso.

—Primero veamos el resultado de la votación —dijo el iracundo Willy—. Si sale que no, estamos hablando por hablar. Y ustedes dos —añadió dirigiéndose a los falsos agentes—, si no están dispuestos a participar en el posible resultado de la votación, no miren. El voto es secreto.

El dueño de la casa abandonó su butaca de cuero, dio unos pasos vacilantes, se detuvo y se quedó tambaleando. Para imponer su autoridad o para mantener el equilibrio, levantó un brazo.

—Vamos a proceder a la votación de acuerdo con lo previamente convenido —anunció—. La pregunta es ésta: ¿Hacemos apiolar a Magí, otramente llamado señor Larramendi? Los que estén a favor, que levanten la mano.

Todos levantaron la mano. El dueño de la casa fue contando con un dedo tan tembloroso que parecía que estuviera dirigiendo una banda de música. Cuando hubo concluido el recuento, preguntó:

—¿Alguien vota en contra?

Todos levantaron la mano. El dueño de la casa efectuó un segundo recuento y dijo:

—¿Alguna abstención?

Todos levantaron la mano.

—Muy bien —dijo el dueño de la casa cuando hubo contado las abstenciones—. Se ha procedido de la forma prevista en los estatutos de nuestra asociación y el resultado ha sido de empate.

16

UN VIAJE CONSTRUCTIVO

Comprobar hasta qué punto estaban todos de acuerdo en lo esencial, por más que discreparan en minucias, llenó de tanta satisfacción al senado de plutócratas que durante un rato todo fueron risas, abrazos y palmadas, olvidar rencillas, intercambiarse parabienes, interesarse por las respectivas familias y desearse salud y prosperidad. Mas tampoco en casa del rico dura la alegría: un gemido lastimero acalló el jolgorio e hizo concurrir las miradas en quien lo había proferido, que no era sino el caballero del destrozado jarrón, el cual se cimbreaba con el dolor pintado en el semblante.

—¡Auxilio! ¡Socorro! —exclamó apremiado por los demás—. ¡Tengo gases! El gastroenterólogo me ha recomendado comer poco y a menudo, han pasado varias horas desde la cena frugal y me ruge un Vesubio en las entrañas.

Todos los presentes declararon padecer de idéntica afección, unida a hernia de hiato, reflujo y colon irritable, lo demostraron de muy sonoros modos y durante unos minutos allí fue Troya. Finalmente el iracundo Willy preguntó al dueño de la casa si no podía procurarles algo de comer, siquiera fueran unos emparedados o una selección de ibéricos.

—No —fue la escueta respuesta proveniente de la butaca de cuero—. Dado el carácter secreto de la reunión, he dado fiesta al servicio e ignoro dónde está la alacena en esta casa: debido a mi menoscabada salud, sólo abandono la butaca de cuero para ir al baño, para ir a misa y para presidir consejos de administración, y por deferencia a mi precaria condición, las tres cosas se efectúan en el mismo lugar.

—Podemos encargar unas pizzas por teléfono —dijo no-Cornudella—. A mí me vuelven loco. Sobre todo la napolitana.

—¡Eso! —dijo el caballero del vetusto padre—. ¡Y que el repartidor nos encuentre a todos reunidos complotando un crimen!

—No hace falta contarle lo que estamos tramando —repuso no-Cornudella—. Ni siquiera es preciso que entre. Puede salir uno a la puerta, recoger las pizzas y pagar. Luego presenta la factura y nos repartimos el gasto.

—¿Y los coches? —dijo el apodado Tarzán—. En la calle pueden admirarse los modelos más lujosos de las mejores marcas con sus chóferes adentro.

Y como si esta visión le sumiera en la tristeza, emitió su selvática y quejumbrosa exclamación.

—Propongo —dijo el dueño de la casa desde su butaca de cuero— no incluir este tema en el orden del día.

—Pues no le veo salida —dijo el doliente caballero del jarrón quebrado.

—Yo iba a sugerir un método —dijo tímidamente el apodado Tarzán.

—Será otra chorrada —protestó el iracundo Willy—. Igual nos incita al canibalismo, como en la selva. Uh, uh. O a comer pescado crudo, como en el Japón, ¿no te jode?

—Deja de meterte con él, Willy —dijo el caballero del infortunado loro—. A mí lo del Japón me ha parecido ilustrativo.

—El método que iba a sugerir —dijo el apodado Tarzán sin amilanarse por el bajo concepto en que era tenido— consistía en enviar a estos dos matones a comprar comida. Ya que se niegan a cometer un asesinato, al menos servirían para algo y justificarían sus emolumentos.

Olvidado el disfavor hacia su persona, la propuesta fue aceptada por unanimidad y la protesta de los falsos agentes, contrarrestada por la amenaza de retener sus honorarios si no cumplían el encargo con rapidez y eficiencia.

Comprendí que este giro inesperado de los acontecimientos me deparaba una ocasión óptima de salir de la casa como había entrado en ella. Con gusto me habría quedado a presenciar el final del conciliábulo, pero no quise tentar la suerte. Un imprevisto podía complicarme la vida e impedirme prevenir al señor Larramendi del peligro que se cernía sobre la suya. Así pues, aprovechando la demora ocasionada por la acalorada discusión acerca de la provisión de fondos y de la parte alícuota correspondiente a cada uno de los presentes, repté por el pasillo, bajé la escalera hasta el garaje, localicé el coche negro y me metí de nuevo en el maletero, cuidando esta vez de introducir en el cierre de la portezuela un taruguito de madera que encontré en el suelo, para poder abrirlo a mi antojo y escabullirme sin ser visto cuando el coche se detuviera en algún lugar conveniente. Poco después ocuparon sus asientos los dos falsos agentes, arrancó el motor, se abrió la puerta deslizante y en un abrir y cerrar de ojos estábamos rodando por el espacio exterior con gran alivio por mi parte.

—En esta mierda de país —oí refunfuñar a uno de los falsos agentes por el boquete practicado en el recorrido anterior— no te dejan prosperar. Te metes a matón y acabas de chico de los recados.

—No te quejes —respondió su compañero—. Peor habría sido tener que cargarse a alguien a sangre fría. Acuérdate de la pobre modelo, tan mona y tan simpática. ¡Qué yuyu, tío!

—Es verdad —asintió el otro—. Suerte que luego nos reímos un rato sacando del manicomio a aquel subnormal y cargándole el muerto. A estas horas se debe de estar pudriendo en chirona, jo, jo, sólo de pensarlo, yo es que me meo.

—Pues no te mees y piensa más bien dónde podemos comprar comida a estas horas.

—Conozco una gasolinera que no cierra en toda la noche.

—Pues vamos.

Otra vez se me hizo largo el trayecto, y también a los otros ocupantes del coche, que guardaron un hosco silencio hasta que aquél se detuvo. Por suerte, bajaron los dos, lo que me permitió abrir una rendija de la puerta del maletero y echar un vistazo. Distinguí una holgada extensión de macadán cubierta a trechos de grandes manchas de aceite y alumbrado por farolas altas de luz blancuzca. Olía a combustible, soplaba el viento y hacía frío. A unos cincuenta metros del coche había media docena de camiones estacionados y vacíos; luego varias filas de surtidores y un poco más lejos, un edificio de metal y cristal, bien iluminado por dentro e identificado como área de servicio por unas letras de neón violeta. Acabé de abrir la puerta del maletero, salí, cerré y corrí a esconderme entre las ruedas de un tráiler. Transcurrido un rato vi salir de la llamada área de servicio a los dos falsos agentes. Uno cargaba con una bolsa de plástico en cada mano y el otro se iba abrochando la bragueta. Al llegar al coche abrieron el maletero para depositar las bolsas. El viento soplaba en dirección contraria y no me permitió oír sus comentarios, pero les vi señalar con extrañeza y preocupación el boquete practicado por mí en el asiento trasero. El coche no era suyo y no les hacía ninguna gracia dar cuenta de un desperfecto cuya reparación sin duda les sería deducida de la paga. Finalmente cerraron el maletero, subieron al coche, el motor arrancó y los vi alejarse.

Salí del escondite y me dirigí al edificio llamado área de servicio, una nave rectangular, en cuyo interior anaqueles de aluminio ofertaban productos básicos para vehículos a motor y seres humanos. Al fondo, según se entraba, había vida en una barra de bar y una caja registradora. En la barra, cuatro hombres fornidos se inclinaban, adustos y cansados, sobre sus respectivas consumiciones. Tras la caja registradora, protegida por una mampara antibalas transparente, una cajera gordinflona, con el pelo rizado teñido de añil, conseguía aparentar jovialidad en medio de aquella desolación. Me dirigí a ella y mi desmayada y afligida presencia pareció incrementar su alegría.

—¿En qué puedo servirte, guapo? —preguntó.

—Buenas noches, señora —dije yo—. Sólo quería saber a qué distancia estamos del centro de la ciudad.

—A unos veintitantos kilómetros —contestó.

—¿Cuánto tardaría en llegar? —pregunté.

—¿En coche?

—No. A pie.

—No sé... con luz de día, unas tres o cuatro horas, a buen paso.

—¿Y haciendo footing?

La cajera me miró de arriba abajo antes de responder.

—Mira, guapo —dijo señalando a los hombres de la barra—, esos cuatro orangutanes son camioneros. Vienen de la otra punta de Europa, han parado a repostar y siguen viaje. Pregunta si van al centro y, en caso afirmativo, si se avienen a llevarte.

Reiteré mi agradecimiento y me dispuse a seguir su consejo. Suponiendo que los cuatro camioneros hablarían otros tantos idiomas y desconocerían los nuestros, hice cuatro reverencias consecutivas y, cuando se hubieron vuelto a mirarme con caras impertérritas, les dije a voz en cuello, procurando simplificar la sintaxis y contener mi innata proclividad al desparramo léxico:

—¿Centro ciudad? Necesito ir centro ciudad. No pagando. Pobre como rata. Rata. Dícese de quien está momentánea o permanentemente impecune.

Uno de los cuatro asintió con la cabeza, se acabó de un sorbo el vaso de aguardiente, se levantó, pagó y salió al exterior. Yo le seguí hasta un camión articulado de gran tonelaje. Se encaramó a la cabina, entró, abrió la otra puerta y gruñó:

—Sube, Rata.

Así lo hice, ocupé el asiento contiguo al suyo, me abroché el cinturón de seguridad y partimos. Como no era cuestión de mantener un diálogo fluido ni él parecía de natural comunicativo, el paisaje nocturno era fosco, el camión circulaba con asombrosa suavidad y a mí me vencía el cansancio, no tardé en quedarme dormido.

Sacudido por las manazas del amable camionero, desperté de un sueño tan profundo que tardé unos instantes en recordar las circunstancias que me habían conducido a la cabina de un tráiler. Ya había amanecido, pero un cielo encapotado me impidió precisar la hora.

—Centro ciudad —dijo el camionero.

Volví a expresar mi gratitud con profusa mímica y tan pronto hube saltado de la cabina al asfalto, partió el camión. Ya solo, miré a mi alrededor para saber en qué lugar de la ciudad me encontraba y me vi en una explanada enorme, uno de cuyos costados lo ocupaba una ese adornada con cúpulas y flanqueada de dos altas torres, todo ello de unas dimensiones, belleza y magnificencia que me dejaron estupefacto. Como no recordaba haber visto nunca semejante monumento, supuse que lo habrían construido en el tiempo que llevaba ausente de Barcelona por mor de mi injusta reclusión. Para salir de dudas, me dirigí a un transeúnte de cierta edad y aspecto servicial, vestido con un terno verde oliva un poco raído y deslustrado.

—Disculpe, señor —le dije—, ¿podría indicarme si esta iglesia es de reciente construcción?

—¿Cuál? —respondió él siguiendo la dirección de mi mirada—, ¿la basílica del Pilar? Pues no sabría decirle cuándo la hicieron, pero unos cuantos añicos ya tendrá, digo yo.

—¿La basílica del Pilar? —exclamé—. ¿Dónde he aterrizado?

—¿Dónde va a ser? ¡En Zaragoza! —dijo mi informante. Y a renglón seguido, tras verificar que no había nadie cerca, preguntó—: ¿Viene del espacio?

Sin darme tiempo a disipar el equívoco, añadió:

—Conque ya han llegado, ¿eh? A mí me puede decir la verdad. Sé callar cuando conviene.

—No estoy autorizado a darle información al respecto —dije en un tono neutro encaminado a no confirmar ni rebatir su error—. Pero si desea ayudarme, dígame dónde hay una cabina para hacer una llamada telefónica. Es urgente.

—¿Un teléfono? —preguntó—. Vaya por Dios, yo creía que ustedes se comunicaban por otros procedimientos. Artilugios, telepatía..., ya me entiende.

—Lamento haberle defraudado.

—No se preocupe —dijo—. Lo de la cabina, no sé... pero por aquí hay muchos bares. Todos tienen teléfono y buenas tapas. Lo digo por si viene hambriento del viaje.

—Ha dado usted en el clavo, señor —admití—, pero no tengo nada de dinero. Ni un céntimo.

—Oh, ¿allí de donde viene no tienen moneda? —quiso saber—. Aunque no sea convertible, claro.

—No, señor. Allí nos fiamos los unos de los otros.

—Válgame el cielo, a eso le llamo yo una civilización superior.

Reflexionó unos segundos y luego dijo:

—Mire, en la segunda calle a la derecha hay una tasca llamada La Miguela. Diga que va de mi parte. De parte de don Armando. El dueño me conoce. Haga su llamada y tome lo que quiera. Yo pasaré luego a pagar. Me gustaría acompañarle, pero he de hacer unos recados. Estoy jubilado y me gano un plus ayudando a mi yerno en la ferretería.

—Muchas gracias, don Armando. Personas como usted evitan mayores males —le dije.

Don Armando me guiñó un ojo antes de separarnos.

—Ya capto el significado —dijo—. Me alegro de haber salvado a la Tierra de la aniquilación. Que tenga una buena estancia entre nosotros. Y antes de irse, no deje de visitar a la Pilarica.

La barra de La Miguela desplegaba un surtido de tapas que habría exterminado como un auténtico invasor de otra galaxia si no me hubieran retenido escrúpulos de conciencia. Me limité a invocar el nombre de don Armando, pedir un pincho de tortilla de patatas con una Pepsi-Cola y el uso del teléfono. Finalizado el almuerzo, llamé a la señorita Westinghouse. Me contestó Cándida. Le noté algo raro en la voz.

—¿Desde dónde me llamas? —preguntó.

—Desde un bar de Zaragoza.

—¡Anda! ¿Y cómo...?

—Ahora no tengo tiempo para explicaciones. Debía haber impedido un asesinato, pero me dormí y una cosa llevó a la otra. Probablemente ya sea tarde para impedir el asesinato. A menos que haya surtido efecto el encargo que te hice. Aquel mensaje que habías de entregar en Jefatura a un tal Asmarats. Lo has hecho tal como te dije, supongo.

Antes de responder emitió una tosecita que se convirtió en una prolongada expectoración.

—Cándida, ¿qué ha pasado?

Confusa y timorata, Cándida me contó lo ocurrido.

De acuerdo con lo convenido, tan pronto despuntó el día, se personó Cándida a la puerta de Jefatura y dijo al guardia que le salió al paso que traía un mensaje escrito para el subteniente Asmarats. Cuando el guardia le respondió que le diera el mensaje y él se encargaría de hacerlo llegar a manos de su destinatario, Cándida, siguiendo mis instrucciones al pie de la letra, puso los brazos en jarras y se negó en redondo. Tanto porfió, que el guardia, harto de oírla, le ordenó que se quedara donde estaba mientras él consultaba el caso con sus superiores. Tras una breve espera, regresó el guardia en compañía de un policía de paisano, el cual dijo a Cándida que tuviera la bondad de acompañarle. Mientras recorrían los lúgubres pasillos del inhóspito edificio, el policía de paisano le informó de que el subteniente Asmarats no la podría recibir, pero que en su lugar lo haría el comisario Flores. Al oír aquel temido nombre, Cándida sufrió un ataque de ansiedad que, combinado con el asma crónico y varias alergias primaverales, le provocaron una sucesión de estornudos violentos y un imparable moqueo. Para no causar mala impresión al comisario, se sonó repetidas veces con lo que, en su aturdimiento, creyó ser un pañuelo. Ya en presencia del comisario Flores, éste exigió la entrega inmediata del mensaje, alegando que si provenía de mí, como era evidente, el asunto competía en exclusiva al propio comisario Flores y a nadie más. De persistir en su negativa, añadió, Cándida volvería al calabozo del que había salido la víspera, y en el que esta vez gozaría de una prolongada estancia. Amedrentada, Cándida sacó la servilleta del bolso y se la entregó al comisario. Al oír los rugidos de éste, se percató de su error, pero ya era tarde para explicar lo de las alergias primaverales y la confusión del pañuelo y de la servilleta que el comisario Flores ya había tirado a la papelera, jurando que acabaría con Cándida, conmigo y con cualquier otro miembro de nuestra familia. Habría cumplido su propósito si en aquel mismo momento no hubiera entrado en el despacho el propio subteniente Asmarats, no hubiera susurrado algo al oído del comisario y ambos no hubieran salido precipitadamente, dejando a Cándida sola y libre de volver a casa sin que nadie se lo impidiera.

De nada habría servido reprocharle su ineptitud. Por otra parte, el final de la peripecia, con la brusca entrada del subteniente Asmarats y la reacción del comisario Flores, me hizo temer que la amenaza ya se había materializado y que el señor Larramendi había pasado a mejor vida llevándose consigo la última esperanza de demostrar mi inocencia. De modo que, en lugar de decirle lo que pensaba de ella, insté a Cándida a que partiera en busca de la señorita Westinghouse y le pidiera, cuando la encontrara, que fuera corriendo al domicilio del señor Larramendi con objeto de averiguar cuanto pudiera acerca de lo ocurrido. Mientras tanto, yo trataría de regresar a Barcelona tan deprisa como me fuera posible y, una vez allí, me reuniría con la señorita Westinghouse en el lugar de autos.

17

TURISMO ACCIDENTADO

Todos los relojes marcaban las diez. Merodeando por los aledaños de la basílica famosa, di con una nutrida formación de autocares turísticos vacíos y, junto a ellos, con un grupo de conductores que mataban el tiempo mientras los usuarios de los vehículos recorrían el interior del monumento para verlo y hacer preces. A milagro podría atribuirse el hecho de que, al ser preguntados por mí sobre sus destinos inmediatos, apareciera en seguida un conductor cuyo autocar salía para Barcelona en menos de diez minutos. Le expliqué la necesidad apremiante que tenía de ir allí, si bien, aclaré, no tenía un duro para pagar el pasaje. El conductor, a su vez, dijo no disponer de plazas libres. Sin embargo, añadió, si yo estaba dispuesto a hacer el trayecto a su lado, bien de pie, bien de hinojos, él estaba dispuesto a llevarme, a cambio de darle conversación sin cesar, con objeto de evitar que le diera la modorra. Mientras aceptaba alborozado, comparecieron, fervorosos y renqueantes, los ocupantes del autocar, unos ancianos y ancianas vestidos de tiroleses que hablaban entre sí en una lengua incomprensible. Subieron al autocar ayudándose los unos a los otros, ocuparon sus asientos, el conductor puso el motor en marcha y emprendimos viaje.

Como pocas cosas de interés podía yo contarle al conductor para cumplir mi parte del trato, opté por hacerle hablar, considerando que el efecto sería el mismo. De este modo supe que se llamaba Ramiro, que tenía veintiséis años y era oriundo de Albacete. Habían salido aquella misma madrugada de Santiago de Compostela y visitado Garabandal, en Cantabria, donde la Virgen había efectuado sonadas apariciones en 1961; se habían detenido brevemente en el Pilar y tenían previsto hacer otra parada en Lourdes y llegar a pernoctar a Roma. La víspera habían estado en Sevilla, viendo bailar a los seises y habían hecho escala en Fátima ante de postrarse a los pies del Apóstol. Este trajín, dijo Ramiro, era diario. Años atrás, la empresa contrataba a dos conductores por autocar, a fin de que pudieran descansar e incluso echar una cabezadita por turnos o, estando los dos despiertos, entretenerse mutuamente con dimes y diretes. Pero un buen día, sin previo aviso y por mero afán de lucro, la tripulación había sido reducida a un solo hombre. El cansancio acumulado a lo largo de varios meses de conducción ininterrumpida, el madrugón de aquella misma mañana y los tres porros que se había fumado en ruta justificaban los temores que habían impulsado a Ramiro a procurarse mi compañía. Le pregunté cómo pensaba conjurar el peligro cuando yo me apease en Barcelona si no me encontraba sustituto, y se echó a reír. En realidad, dijo, pasar por Barcelona para ir de Zaragoza a Lourdes suponía dar un rodeo tan grande como innecesario, dado el nulo interés turístico de Barcelona. Si lo daba, con la excusa de llevar a sus incautos pasajeros a comer una exquisita paella en un chiringuito de la Barceloneta, era porque en las inmediaciones del chiringuito vivía un traficante que le vendía anfetas con las que podría completar el recorrido en condiciones y en el tiempo previsto.

Calló un instante y no quise interrumpir sus cálculos sobre tiempo, distancia y promedios. Cuando me di cuenta, el autocar había salido de la autopista. Por fortuna, en el momento del accidente atravesábamos los Monegros y en la trayectoria del autocar no se interpuso árbol ni construcción alguna. Los pasajeros, hasta entonces sumidos en apacible duermevela, se despertaron sobresaltados y empezaron a vociferar hasta que Ramiro les señaló la árida planicie sembrada de peñascos y matojos y gritó utilizando la megafonía del autocar:

—¡Paisaje andaluz!

Abrió las puertas, se precipitaron afuera los pasajeros y mientras se hacían fotos en aquella erosionada topografía, maniobró para devolver el vehículo al arcén de la autopista. Al reemprender la marcha me propuse no volver a incurrir en más lapsus, y no sin esfuerzo por mi parte, logré mantener al conductor en un estado de semiinconsciencia hasta llegar a mi destino. A decir verdad, Ramiro era un muchacho inteligente, voluntarioso y de una gran lealtad a la empresa. Me explicó que el turismo religioso, en el que aquélla estaba especializada, tenía el inconveniente de las distancias entre los destinos más solicitados de Europa, pero a cambio, ofrecía innegables ventajas. A diferencia de otros, aquél no era un turismo de temporada, y la clientela, compuesta casi en exclusiva por gente mayor de clase media, era muy educada de trato y de muy buen conformar. No podían decir lo mismo empresas especializadas en otro tipo de turismo, en especial el turismo deportivo. En esta última modalidad, los sueldos eran más altos y los desplazamientos más cortos y espaciados, pero el trabajo dependía del resultado de los encuentros y las eliminatorias; además, no era infrecuente que durante el trayecto los pasajeros orinaran, defecaran, vomitaran, se pelearan y destrozaran el interior del autocar. Ramiro, por el contrario, no tenía que encargarse de la disciplina dentro del autocar y los santuarios en que se detenían eran, por definición, remansos de paz. Su única preocupación era vencer el sueño y mantener una velocidad de crucero de entre 160 y 180 kilómetros por hora. Aun así, la vida laboral de Ramiro no había carecido de situaciones chispeantes. Una vez, volviendo de visitar a la Virgen Negra de Częstochowa, las autoridades polacas le detuvieron alegando varias infracciones flagrantes del código de circulación marxista imperante al otro lado del telón de acero. Otra vez se había encontrado en medio de un tiroteo entre fuerzas de Hamás y soldados israelíes en pleno portal de Belén. Pero la anécdota más jocosa, a su entender, era ésta: unos peregrinos irlandeses, agradecidos por la rapidez con que los había llevado de la estación de autobuses de Dublín a la plaza de San Pedro, le invitaron a acompañarles a la audiencia papal que previamente habían concertado; Ramiro aceptó de mil amores, pero, como iba un poco colocado, cuando estuvo en presencia del sumo pontífice no tuvo mejor idea que ofrecerle una raya de coca; indulgente, diplomático y expeditivo, el Santo Padre se limitó a bendecir la raya y a pasar de largo.

Entretenidos en esta amena plática, se nos había ido el tiempo sin pensar cuando avistamos en el horizonte el denso y contaminado perfil de Barcelona. Antes de entrar en el núcleo urbano, Ramiro me preguntó si iba a la Barceloneta y, al responderle yo que iba justamente al otro extremo de la ciudad, se ofreció a llevarme.

—Sólo me llevará un minuto —dijo sin atender a mis protestas—. Luego piso a fondo el acelerador y recupero.

Mientras pronunciaba estas amables palabras circulábamos por las pobladas calles de Santa Coloma y estuvimos en un tris de hacer una hecatombe a la puerta de un mercado. Los transeúntes reaccionaron arrojando verduras y huevos contra las ventanas y golpeando la carrocería del autocar con latas, piedras y palos. Sin alterarse y recurriendo de nuevo a la megafonía, Ramiro anunció:

—¡Navarra en fiestas!

Entraron de nuevo en acción cámaras fotográficas y grabadoras de vídeo y en un abrir y cerrar de ojos salimos del aprieto sin arrollar a nadie. A eso de las doce y media me apeaba, sano, salvo y agradecido, en la plaza John Fitzgerald Kennedy, llevando en la mano una cestilla de frutas de Aragón obsequio de mis compañeros de viaje.

Encaminaba mis pasos hacia la calle de Sant Hilari cuando distinguí a la señorita Westinghouse, que me hacía señales vehementes medio oculta tras un quiosco. Acudí y al notar su agitación le pregunté la causa.

—Es doble —respondió—. En primer lugar, no ha habido manera de contactar con el señor Larramendi, ni vivo ni muerto. La policía ha puesto asedio al edificio y no deja entrar ni salir a nadie sin identificarse. En vista de lo cual, llevo toda la mañana de plantón detrás del quiosco para prevenirte y evitar que te echen el guante, como ha estado a punto de ocurrir si no llegas a verme.

—Gracias —dije—. ¿Y la segunda causa de agitación?

—¡Los modelos de la temporada que viene! —dijo señalando las portadas de las innumerables revistas expuestas en las paredes laterales del quiosco—. Si no eres anoréxica, has de salir a la calle envuelta en una sábana. Yo no estoy por la censura, pero las autoridades deberían intervenir con firmeza. Despilfarran nuestros impuestos en bagatelas y nadie se molesta en inculcarnos una dieta rica en fibras y oligoelementos. Obesa, esquelética y neurasténica: ésta es la mujer española que vota al PSOE.

La larga espera la había desquiciado un poco. Le dejé proferir incoherencias y luego volví al asunto que nos había reunido.

—La suerte del señor Larramendi ya no está en nuestras manos —dije—. Pero me gustaría saber lo que le ha ocurrido, y eso sólo nos lo puede contar el conserje del inmueble. Sea como sea, hemos de burlar el cerco y ponernos en contacto con él.

Mientras cavilábamos, me asomé a la esquina de la calle de Sant Hilari. Frente al número 15 había un coche patrulla medio subido a la acera y a la puerta del jardincillo fumaban y charlaban dos hombres de paisano. Me pareció reconocer a Asmarats, pero la distancia me impedía precisar tanto.

—La única forma de entrar —dijo la señorita Westinghouse— es por medio de un camuflaje. Hemos de camuflarnos, como el equipo A. Y ya se me ha ocurrido un camuflaje ideal. Nos vestimos de bomberos y nos colamos diciendo que la casa está en llamas. La idea no puede ser mejor. Sólo nos hacen falta dos trajes de amianto, una manguera y un camión rojo con escalera y sirena.

—No está mal —dije—, pero no podemos ser tan ambiciosos. A mí se me ocurre otro plan menos exigente.

De un supermercado sustrajimos un carrito y de unos contenedores contiguos varias cajas de cartón y algunas bolsas de plástico. Con estos elementos compusimos una versión convincente de la impedimenta propia de un repartidor. Me disponía a poner a prueba la eficacia de la estratagema cuando la señorita Westinghouse me hizo este razonamiento:

—Te estás metiendo en la boca del lobo. A ti te conocen y te buscan. A mí, en cambio, no me conoce nadie. Yo iré.

—Una mujer repartidora de supermercado llama la atención —objeté.

—No problem —dijo la señorita Westinghouse—. Para bien y para mal soy reversible.

En un portal la señorita Westinghouse se puso mi ropa y yo la suya, y partió empujando el carrito con aire intrépido y desenfadado. Me habría gustado seguirla de lejos, pero en caso de venir mal dadas, la falda tubo y los taconazos que ahora llevaba puestos habrían obstaculizado la huida, por lo que regresé a la plaza John Fitzgerald Kennedy y me senté a esperar en un banco de madera oscura. Por contraste con la zozobra que me embargaba, el lugar invitaba al sosiego: del Tibidabo llegaba una brisa fresca, entre las hojas verdes de los árboles asomaban diminutas flores lilas, gorjeaban los pájaros y una panadería exhalaba un apetitoso olor a pan recién horneado. Unos niños de corta edad jugaban con una pelota de colores. Por impericia de uno de los jugadores, la pelota escapó a su control y vino rodando hasta mis pies. Los niños se acercaron tímidamente a recogerla. Aunque llevaba varios días sin lavarme ni afeitarme, me había vestido con prisa y, por falta de espejo, no sabía si me había puesto la peluca del derecho o del revés, la esmerada educación recibida en uno de los numerosos colegios de la zona les hizo prescindir de aquellos detalles y murmurar casi al unísono:

—Perdone, señora. Se nos ha escapado la pelota sin querer.

Para no delatarme, imposté la voz y respondí lo que supuse que habría dicho una señora distinguida en semejantes circunstancias.

—Más cuidado la próxima vez, mamones.

Se fueron los niños y yo me quedé pensando que si el destino hubiera dispuesto que todos los factores decisivos de mi existencia hubieran sido radicalmente opuestos a los que habían sido; que si en vez de nacer varón, en un barrio violento y en el seno de una familia de delincuentes y de no recibir más educación que las duras lecciones de la calle y la cárcel, hubiera nacido mujer, en una familia ejemplar y en un barrio rico, y hubiera recibido una exquisita formación en un internado suizo, en aquel preciso momento estaría en el mismo sitio y con la misma ropa.

Me arrancó de estas reflexiones la aparición medrosa y atropellada del conserje, vestido con mis prendas varoniles y empujando el carrito del supermercado vacío. Se sentó a mi lado y sin dejar de mirar inquieto hacia los cuatro puntos cardinales, dio rienda suelta a su consternación.

—¡Lo nunca visto, señor Asmarats! Jamás, jamás en mi dilatada, irreprochable y, casi me atrevería a decir, gloriosa trayectoria como conserje, había hecho algo parecido. He abandonado la garita en manos de un desconocido, me he despojado de mi uniforme y me he puesto ropas civiles, he fingido ante las fuerzas del orden ser un repartidor de supermercado, he consentido en acumular en la vivienda del conserje cajas y bolsas procedentes de Dios sabe dónde, y ahora, en este lugar donde me he ganado una reputación con esfuerzo y perseverancia, me dejo ver charlando ociosamente con una señora que ni siquiera es del barrio. Ah, primero el asesinato de la señorita Baxter y luego esto, ¡menuda tanda!

—Y lo que vendrá —dije para poner coto a su locuacidad—. De momento, cuénteme lo ocurrido sin omitir nada, pero sin digresiones. Tenemos los minutos contados y no podemos dejar a la señorita Westinghouse en el lugar de usted sin grave peligro para ella, para usted mismo y para el inmueble.

18

PAVOROSA VISITA NOCTURNA

La noche anterior, que el atribulado conserje califi-
caba sin rodeos de auténtica pesadilla, había comenzado
engañosamente de un modo tranquilo, por no decir ruti-
nario. Bajo su implacable control, unos tras otros los habitantes del inmueble se habían ido recogiendo en sus
respectivos domicilios, siendo el último en hacerlo el señor Larramendi, que había llegado poco después de la
una, en su habitual y bochornoso estado de embriaguez.
Concluido este ingrato episodio, el conserje decidió apagar la televisión y acostarse, no sin antes quitarse el uniforme y la ropa interior y ponerse el pijama, así como
lavarse los dientes a conciencia. Fue entonces cuando sonaron en la puerta de su vivienda unos golpes quedos
pero claramente perceptibles. Como nadie había entrado
en el edificio después de haberlo hecho el señor Larramendi, la llamada sólo podía provenir de un vecino del
inmueble y su causa ser de la máxima gravedad, por lo
que el conserje acudió tras un breve debate interior sobre
si debía ponerse de nuevo el uniforme o, por el contrario,

atender la llamada en pijama, y de haberse inclinado finalmente por la segunda opción, en parte para no demorar la respuesta y en parte para dejar constancia de lo intempestivo de la hora. Cuando abrió y vio quién llamaba se quedó estupefacto.

—No podía dar crédito a mis ojos, señor Asmarats —manifestó.

El vestíbulo se encontraba, como todas las noches a aquella hora, en un estado intermedio entre la oscuridad y lo opuesto a la oscuridad, porque si bien la luz general de la escalera no estaba encendida, a través del cristal esmerilado de la puerta que daba al exterior entraba la luz de las farolas de la calle. En tales condiciones, no había lugar a engaño o ilusión óptica.

—Un ninja, señor Asmarats. Nada más y nada menos. Usted sabe lo que son los ninjas, ¿no? Unos guerreros mortíferos que van por ahí disfrazados de calcetín, haciendo las mil y una. Yo, hasta la pasada noche, no había visto ninguno de carne y hueso, pero en las películas que echan en la tele salen a barullo. Y para nada bueno, créame.

Siendo el sigilo absoluto una característica de este tipo de rufianes, no era de extrañar que su intrusión en el edificio hubiera pasado inadvertida incluso a la estrecha vigilancia del conserje.

—Yo no sabía qué hacer —dijo retorciéndose las manos—. Hágase cargo, señor Asmarats. Un ninja en el inmueble del cual soy responsable... Si hubiera sido un gitano o un moro, aún, ¡pero un ninja!

Recuperado de la sorpresa inicial, el conserje preguntó al temible visitante que qué se le ofrecía y aquél, sin pronunciar una palabra, ni tan sólo un sonido, señaló al pie de la escalera, donde había un saco de regulares dimensiones, atado con un cordel y lleno de algo grande y de forma imprecisa; a continuación se había señalado a sí mismo y luego al conserje, dándole a entender por mímica que solicitaba su colaboración para cargar el saco. En circunstancias normales, el conserje le habría cerrado la puerta en las narices, pero el ninja llevaba en bandolera una espada larga o katana, por lo que el conserje consideró preferible acceder a lo que se le pedía.

—Entiéndame, señor Asmarats, un conserje ha de estar dispuesto a dar la vida por el inmueble si es preciso, pero a las dos de la madrugada yo no estaba de servicio.

Entre el ninja y el conserje levantaron en vilo el saco, que pesaba lo suyo, lo sacaron al jardín y después a la calle y una vez allí lo acarrearon hasta la parada de los autobuses 17 y 22, en el paseo de San Gervasio. Siempre por señas, el ninja despachó al conserje y se quedó con el saco a esperar el nocturno. El conserje, todavía bajo los efectos de la impresión, descalzo y en pijama, regresó a su vivienda, atrancó la puerta con llave y llamó a la policía para dar parte de lo ocurrido.

La persona que contestó a la llamada tomó nota de sus datos personales y luego le preguntó si el tal ninja le había agredido de palabra u obra, si se había apoderado de alguna pertenencia del conserje, si le había mostrado las partes pudendas o se había hecho tocamientos, y ante la respuesta negativa del conserje a todas estas preguntas, le informó de que no veía motivo de denuncia. El conserje insistió alegando que el saco, a juzgar por su forma y su peso, podía contener el cadáver de un vecino, si bien hubo de reconocer que carecía de cualquier indicio racional que sustentara la sospecha. La persona que contestó a la llamada le recomendó que se tomara una infusión y colgó.

Al conserje le atormentaba la posibilidad de haber quedado fichado como orate o bromista. Pero no había sido así, pues no había transcurrido ni una hora desde la llamada telefónica cuando el interfono volvió a sacarle de la cama. Preguntó quién iba y le dijeron que la policía. Abrió y entraron dos hombres jóvenes que dijeron ser agentes y le preguntaron en qué piso y puerta vivía el señor Larramendi. El conserje les dio las gracias por la prontitud con que habían acudido, les facilitó la información solicitada y se ofreció a acompañar a los agentes, los cuales le ordenaron que no se metiese donde nadie le llamaba, se volviese a la cama y se olvidase de todo lo ocurrido aquella noche. Obedeció el conserje y desde el lecho y como la agitación de los sucesos previos no le permitía conciliar el sueño, pudo oír con claridad a los dos agentes subir la escalera hasta el piso del señor Larramendi, forzar la cerradura, entrar y ponerlo todo patas arriba, sin duda en busca de huellas u otras pistas, lo que confirmó sus sospechas acerca del macabro contenido del saco del ninja, es decir, el cuerpo sin vida, sea entero, sea descuartizado, del tantas veces citado señor Larramendi.

—¿Hizo usted partícipes a los agentes de estas sospechas tan bien fundadas? —le pregunté.

—No, señor —respondió el conserje—. Conforme tengo visto en la tele, los ninjas son muy vengativos y podría costarme caro el excederme en la lucha contra el mal. Yo, con llamar al 091 me di por cumplido.

Le felicité en voz alta por su cauta decisión, me felicité a mí mismo para mis adentros y le dejé poner fin al recuento de sus cuitas. Así supe que los dos agentes, cuya verdadera identidad no me ofrecía dudas, habían abandonado el piso del señor Larramendi y el inmueble sin decir nada y que el conserje había pasado el resto de la noche sin pegar ojo, pero sin nuevas interrupciones. A eso de las diez de la mañana había llegado el coche patrulla que todavía estaba en la acera de enfrente del inmueble, y hasta la inesperada aparición de la señorita Westinghouse transformada en repartidor de supermercado no había ocurrido nada más.

—Y ahora que se lo he contado todo —dijo el conserje echando un vistazo a su reloj de pulsera—, ¿puedo regresar a mi puesto? Seguramente hago mucha falta y no quisiera que mi ausencia fuera objeto de censura por parte de los inquilinos o de la propiedad.

—Por supuesto, vaya usted adonde el deber le reclama —respondí—. Pero no vestido de repartidor de supermercado. El disfraz le ha valido una vez. Dos podría ser motivo de sospecha.

Hube de recurrir a mi capacidad de convicción, mi ascendiente sobre él y alguna velada amenaza para convencerle de que me acompañara al discreto portal donde un rato antes la señorita Westinghouse y yo habíamos cambiado nuestras ropas e hiciera lo mismo, quedando él con la ropa de la señorita Westinghouse, que yo había llevado hasta ese momento y yo con la mía, que previamente la señorita Westinghouse había cambiado con el conserje por el uniforme de éste, y que él a la sazón llevaba puesta.

Como presentí que esta maniobra, sencilla en teoría, en la práctica llevaría cierto tiempo, y como yo ya tenía puesta mi propia indumentaria y no podía perder un minuto si quería aprovechar la ventaja obtenida con la hábil estratagema que acababa de serme referida, rogué al conserje que le dijera a la señorita Westinghouse que yo me reuniría con ella a la hora de comer en el bar

Facundo Hernández, donde tenía tertulia habitual con sus amigas. Allí, añadí, le daría cuenta cabal de lo sucedido y, con suerte, pondríamos punto final a nuestra trepidante aventura.

Con este encargo vi partir al conserje, tambaleándose sobre los estilizados tacones y sujetándose la peluca para que no se la llevara una ráfaga de viento y yo emprendí carrera por la calle Balmes en dirección al lugar donde, según mis cálculos, me esperaba la solución del enigma.

La puerta de Casa Cecilia, cocina riojana, estaba cerrada. Un letrero rezaba:

CERRADO POR REFORMAS
PRÓXIMA APERTURA

A través de los cristales, opacos o mugrientos, no se veía el interior. Tamborileé, se perfiló una forma tras la veladura, corrió un cerrojo, se abrió la puerta y la dueña del restaurante me invitó a pasar.

—No hay tales reformas —dijo—. He cerrado por falta de personal. Primero se fue el uno, hoy no ha aparecido el otro.

Atrancó la puerta y siguió hablando en un tono triste y cálido, más acorde con la penumbrosa intimidad del desamparado refectorio.

—Si he de ser sincera —susurró—, te estaba esperando. No puede ser que todos te abandonen, me decía. No lo hagas tú también. No sé cocinar, pero te puedo ofrecer otras cosas de las que no quedarás descontento. Aunque eso no es mucho decir, en este restaurante soy lo mejor de la carta. Y hasta que el Instituto Nacional de Empleo me mande reemplazos tenemos tiempo de sobra.

Ya he dicho que era una mujer joven, bonita de figura, agradable de trato y espontánea en sus impulsos sin ser avasalladora. No tuve valor ni ganas de sacarla de su error acerca de los motivos reales de mi presencia en el local. De modo que lo hicimos sobre una mesa de dos. Habría sido más cómodo en una de cuatro, pero en este punto los restaurantes son muy estrictos.

—Cuando te vi entrar por primera vez —musitó cuando hubo recuperado la placidez—, una voz interior me dijo: Cecilia, con éste acabarás haciendo migas. No lo puedo remediar: me van los saldos. Pero no te asustes. En el negocio de la restauración, una aprende que los parroquianos entran y salen cuando les apetece, y un buen día se van sin dar explicaciones y ya no vuelven más.

Todos los hombres de su vida, me contó, habían sido inconstantes y sus amores, volátiles. Su marido alcohólico sólo era constante en lo de pimplar. Y los que vinieron después, lo mismo. Ella, sin embargo, no les hacía reproches: cada cual era como era; lo que le quisieran dar, lo agradecía; sin servilismo, pero sin reclamar más ni esperar milagros. Cuando acabó el turno de las confidencias, le pregunté si había llegado al restaurante algún mensaje para mí.

—Ah, sí —respondió—. Poco antes de venir tú, un chico trajo un sobre para el señor Asmarats. No precisó a qué Asmarats se refería. Supongo que serás tú. Iba a decírtelo, pero entre el fogonazo de antes y las ternezas de ahora se me ha ido el santo al cielo. Está ahí, al lado de la caja.

Fui a buscarlo: era un sobre grande, de un papel resistente de color marrón, estaba cerrado con el pegamento de su propia solapa y al tacto parecía contener varias hojas de papel o una revista.

—He de irme —dije con el sobre debajo del brazo—. Pero volveré. Yo no soy como los demás.

—Sí, ni yo he oído nunca esta frase —repuso Cecilia.

Antes de abandonar el establecimiento le regalé la cestilla de frutas de Aragón, que ella aceptó con una gentil reverencia.

19

LA CONFESIÓN DEL SEÑOR LARRAMENDI

Traté de hacer footing y el cuerpo no respondió a los dictados de mi voluntad. No di importancia al hecho. Llegaba tarde a la cita con la señorita Westinghouse en el bar Facundo Hernández, pero contaba con encontrar todavía a la tertulia en animada francachela y, por otra parte y en lo que a mí respectaba, el motivo del retraso había merecido la pena. Mientras caminaba iba repasando mentalmente lo ocurrido un rato antes y no entendía cómo había podido ser tan afortunado. Me embargaba la felicidad y, por primera vez desde sus inicios, el escalofriante asunto que llevaba entre manos me importaba un pimiento. Primero involuntariamente y más tarde con serenidad y método, empecé a acariciar la idea de imprimir un nuevo derrotero a mi existencia. A mi edad y con mis dotes naturales, nada me impedía aprender el oficio de cocinero; quizá también rudimentos de contabilidad; y un par de idiomas para atender a los clientes extranjeros. También podía adquirir y cultivar un huerto, unas cuantas gallinas, cerdos, vacas y un viñedo.

Imbuido de un optimismo rayano en la efervescencia, llegué al bar Facundo Hernández y encontré el local vacío de clientes, silencioso y a media luz. El dueño del local sacó la cabeza por la cortina de rafia divisoria entre la cocina y el comedor. Le pregunté si Fortunata y compañía habían levantado el campo sin esperarme y, en tal caso, si habían dejado algún recado para mí.

—¿Levantar el campo? —respondió—. ¡Estás tú de guasa! Hace una hora hubo una redada y se las llevaron a todas. No parecía nada serio. Desde hace unas semanas el Ayuntamiento está empeñado en adecentar la zona. Vete tú a saber lo que habrá detrás de esta movida. Barcelona se ha puesto en marcha, eso se nota. Y cuando Barcelona se pone en marcha, los ricos ganan y los pobres pagan. De todos modos, por las niñas no sufras: han viajado más veces en coche celular que en autobús y se las saben todas. Ahora, yo de ti, ahuecaba el ala.

No me lo hice repetir. Le di las gracias y eché a correr. Necesitaba encontrar un lugar seguro y relativamente tranquilo donde leer el contenido del sobre recogido en Casa Cecilia, cocina riojana, antes de que me echaran el guante y me lo quitaran. Las Ramblas y calles adyacentes eran un hervidero de viandantes, algunos de los cuales parecían mirarme de refilón. No sé si la paranoia me hacía ver policías por todas partes o si había policías por todas partes. Habría sido temerario entrar en algún bar o en algún selecto almacén o en el mercado de la Boquería. En el Ateneo, la Biblioteca de Cataluña, la Academia de Buenas Letras y el Círculo del Liceo habrían exigido acreditar mi pertenencia. A la puerta de la catedral, de la iglesia del Pino, la de Belén y la de Santa Ana se arracimaban los pedigüeños y con frecuencia agentes de la secreta, harapientos y costrosos, se mezclaban con ellos para hacer averiguaciones y, de paso, sacarse unas perrillas. Las estaciones del metro eran otras tantas ratoneras. Me habría metido en una alcantarilla si hubiera sabido cómo levantar la tapa.

En esta difícil tesitura, miré hacia arriba, por si la solución venía del cielo. Desde lo alto de su columna Colón me señalaba con el dedo un lugar, como si quisiera ayudarme. Seguí con los ojos la indicación del almirante y en el puerto, frente a las Atarazanas, vi la torre de Jaime I, una enorme estructura por donde pasaba el cable de sustentación del teleférico que, con pretensiones de atracción turística, transportaba incautos forasteros y suicidas locales de la Barceloneta a Montjuïc y viceversa. Corrí hacia allí sacando fuerzas de flaqueza. Llegué a la base de la torre, salté la cadena que impedía el acceso y subí por una escalera metálica. Después del primer tramo de escalera había una plataforma con una garita y dentro de la garita un guardia adormilado que se levantó al verme y me cerró el paso.

—Soy el ingeniero Asmarats —dije entre resoplidos—. Vengo escopeteado porque me han llamado de urgencia de la estación de Montjuïc. Hay una fuga en el motor de tracción.

El guardia no parecía muy interesado en comprender la naturaleza de la avería ni en verificar mi identidad.

—Si todos los que pierden aceite viajaran gratis, esto sería la ruina —dijo riendo su propio chiste al tiempo que retiraba la cadena.

Subí una escalera exterior interminable y desemboqué en una plataforma sin barandillas. Para evitar el vértigo concentraba la mirada en la punta de la nariz. No tardó en llegar la cabina. Salté adentro. Una voz femenina exclamó:

—¡Pucha, un estrábico se curó con sólo subir a este quilombo!

Una señora cubierta de un abrigo oscuro y estola de visón dirigía esta observación a un caballero de parecido porte, que respondió con un gruñido por tener la boca llena en aquel preciso momento. Ambos eran de avanzada edad y, conmigo, los únicos ocupantes de aquella cabina infernal, que avanzaba a sacudidas. Fuera chirriaban el tren de poleas y el cable tractor, dentro todo olía a moho y por el suelo rodaban tuercas, tornillos y pernos desprendidos del chasis. No era un lugar placentero, pero allí no me buscaría nadie.

Cuando el caballero, que, al igual que la señora, no parecía atemorizado ni extrañado por las peculiaridades del viaje, hubo masticado y tragado lo que tenía en la boca, se dirigió a mí en tono amable y dijo:

—Disculpe, me pilló con un trozo de tarta pascualina en la boca. Visitando los lindos y sucios rincones de esta ciudad se nos pasó la hora del almuerzo y aprovechaba esta pausa aérea para alimentar el cuerpo, habiendo antes alimentado el espíritu con arte e historia. ¿Gusta un trozo de tarta pascualina? Mi esposa la hizo en casa antes de emprender viaje. Trajimos tarta pascualina para toda la estadía en ultramar. No nos fiamos de la comida local, ¿sabe? Oí decir que acá suelen poner gato y liebre en los guisos.

Me tendió un pedazo de empanada rellena de verduras, que no vacilé en aceptar y engullir con entusiasmo, mientras mi generoso anfitrión me explicaba que tanto él como su esposa eran naturales y vecinos de San Miguel de Tucumán y que habían venido a Barcelona en cumplimiento de una antigua promesa.

—Mi abuelo paterno era español, de la provincia de Lugo, en Galicia. De muy joven fue llamado a filas, adscrito al cuerpo de artillería y destinado a Barcelona, donde le tocó en suerte bombardear la ciudad desde el castillo de Montjuïc por orden del general Espartero, allá por el año de mil ocho cuarenta y dos. Andando el tiempo, como tantos gallegos, emigró, y se estableció en San Miguel de Tucumán. Siendo él ya viejo y yo muy chico, a menudo me sentaba en sus rodillas y me refería con detalle aquella insólita jornada, para él la más divertida de su dilatada existencia. Con verdadero deleite refería cómo metían el obús en el cañón y, a una señal del capitán, disparaban y corrían al parapeto a ver dónde había dado el chupinazo. Ya en su lecho de muerte, me llamó a su lado y con un hilo de voz me dijo: Luchito, prométeme que cuando seas grande irás a Montjuïc. Una vez allí, pregunta por el capitán Van Halen. Si todavía está vivo o sigue al mando de la plaza alguno de sus descendientes, di que eres mi nieto y pide que te dejen tirar otro bombazo a la ciudad en memoria de tu abuelo. Conjurando estos recuerdos falleció el viejito con la sonrisa en los labios y ahora acá nos tiene, a mí y a mi esposa, que no quería perderse la función. ¿Y usted? ¿También va a echar bombazos?

—No, señor. Yo soy el encargado del mantenimiento de este transbordador.

Un choque nos derribó a los tres. Habíamos llegado a la estación, los rodillos se habían salido del cable al efectuar la maniobra de frenado y la cabina había volcado.

—Pues permítame felicitarle por su labor, señor encargado —dijo el caballero mientras salíamos de la cabina por una de las ventanas rotas.

Les indiqué cómo llegar al castillo, les deseé suerte en su empresa y una feliz estancia entre nosotros; ellos se alejaron y yo fui a sentarme en un banco, a la sombra de un árbol de nudosas ramas, anchas hojas y leñosas raíces. Allí leí la confesión del señor Larramendi. Decía así:

Apreciado señor Asmarats:

Dirijo a Vd. esta confesión porque me parece una persona seria y desvinculada de los que me buscan para matarme, como hicieron con la llorada señorita Baxter. Por mi culpa, sépalo Vd. Cuando lo pienso lo paso mal.

Todo empezó hace muchos años. Yo era un joven economista recién licenciado. Entré a trabajar como pasante en el bufete de un afamado asesor cuyo nombre silenciaré por respeto a su memoria, pues ya está en el cielo. Como soy aplicado, me gané la confianza de mi jefe y participé a sus órdenes en varias operaciones de no te menees. La más importante fue ésta: en aquellos años, un grupo de empresarios catalanes se había constituido en sociedad secreta conocida por las siglas APALF. Estos señores, convencidos de que los cambios en la política económica del régimen (liberalización, apertura de mercados, negociaciones con los sindicatos) llevarían al país a la bancarrota, y no pudiendo oponerse a ellos por falta de libertades políticas, decidieron poner sus valores fiduciarios, o también podríamos decir calerones, a buen recaudo. Con tal fin se organizó un complejo tejido de evasión de capitales, dispersándolos y escondiéndolos de tal modo que fuese imposible seguir su rastro. No le aburriré con detalles que tampoco entendería. Sólo le diré, sin falsa modestia, que tanto las coordenadas generales como los detalles más sutiles de la trama salieron de la cabeza de quien estas líneas escribe. Y que la maniobra se realizó felizmente y no hubo que lamentar percances.

Cuando el Señor llamó a mi jefe a Su vera, abandoné la práctica privada y, habiéndose producido ya la Transición y deseoso de servir a mi país, entré a trabajar en la Generalitat. Nuevamente mis cualidades me llevaron a desempeñar un alto cargo, desde el que pude hacer muchos favores y recibir por ellos otras tantas muestras de gratitud. La prensa hizo públicas ambas cosas y me vi forzado a dimitir. ¡Tantos amigos como me había ganado, y al caer en desgracia todos me giraron la espalda! Busqué trabajo y nadie me tendió una mano. En vano pedí dinero prestado. Para subsistir desempeñé oficios varios, el último en el restaurante Casa Cecilia, cocina riojana, donde Vd. me conoció y donde, para dar verosimilitud a mi condición de cocinero y borrar la sombra de mi pasado, me inventé yo solo el seudónimo de señor Larramendi.

Hace unos meses, una noche, al salir de la faena, vino a mi encuentro un conocido de los viejos tiempos y me invitó a cenar, pagando a escote. En el curso de la cena, insinuó primero y aclaró luego que personas bien situadas requerían mis servicios. Al parecer, prosiguió subrayando de continuo la confidencialidad de cuanto me contaba, al más alto nivel se estaba fraguando una operación de gran envergadura destinada a sacar a Barcelona de su actual estancamiento económico y convertirla en un negociazo a nivel mundial. Por este motivo, los componentes originales de APALF, o sus herederos, si alguno ya estaba en el cielo, habían decidido repatriar los capitales evadidos e invertirlos en el futuro de la ciudad. Naturalmente, la repatriación debía hacerse con la misma opacidad con que se había realizado la operación anterior, pues, de haber salido a la luz la una o la otra, habría acarreado responsabilidades civiles y penales, y tampoco era cuestión de devengar impuestos por un dinero surgido de la nada. Desaparecido mi antiguo jefe, director y portaestandarte de la operación original, yo era la persona idónea para llevar a cabo el proyecto. Por esto había venido a buscarme.

Soy hombre de natural tranquilo, incluso pusilánime, pero en aquel momento perdí los estribos. No sé lo que me pasó, señor Asmarats. Los que ahora venían a buscarme porque me necesitaban eran los mismos que me habían abandonado a mi suerte, me habían negado el saludo y habían proclamado en la tele su repulsa a mi persona. ¡No!, grité en mitad del restaurante, ¡prefiero seguir limpiando calamares el resto de mis días! Poco podía yo imaginar que con estas palabras firmaba mi sentencia de muerte y, de paso, la de la llorada señorita Baxter.

Por supuesto, de estas infaustas derivaciones no recibí indicios en aquel momento. El recipiente de mi enfado ni contestó ni se mostró ofendido. Con digna calma pidió la cuenta, dejó en la mesa su parte, se levantó y tocó el dos. Yo volví a casa con sentimientos contradictorios: si por un lado estaba orgulloso de mi reacción viril, por el otro lamentaba el desplante. Al fin y al cabo, la proposición que acababa de recibir denotaba la confianza de personas importantes tanto en mí como en mis aptitudes, y satisfacer sus expectativas podía significar la recuperación de mi hacienda y mi honor perdidos. Decidí que si en un futuro se producía una nueva invitación, me lo pensaría dos veces antes de mostrar mi virilidad de un modo tan ostensible.

Sin embargo, en los días sucesivos al encuentro no hubo un nuevo acercamiento por la otra parte. Defraudado y temeroso de que, ante mi negativa, hubieran encargado el trabajo a otro, consideré la posibilidad de ponerme en contacto con el intermediario, pedir disculpas y ofrecer mis servicios.

Estando en semejante disyuntiva, una noche tuve un sueño angustioso. Me hallaba yo, sin saber cómo había ido a parar allí, en una habitación pequeña, sin ventanas, mal ventilada, probablemente un sótano. En el centro de la habitación había una mesa de oficina, una silla giratoria y una lámpara; sobre la mesa se acumulaban papeles apilados de cualquier manera: era la documentación atinente al caso APALF, que muchos años atrás había sido guardada sin intención de ser reutilizada, en un lugar carente de condiciones adecuadas para la conservación del papel. Las grapas y los clips estaban oxidados, las gomas, endurecidas y podridas, las hojas amarilleaban en los márgenes. En el sueño, yo me sentaba a la mesa y emprendía la tarea de poner orden en aquel caos. Me desperté muy cansado, nervioso, con dolor de cabeza y molestias intestinales. Al salir de casa el conserje me saludó con frialdad y leí el reproche y el desdén pintados en su cara de idiota. No le di importancia. Los sueños, sueños son, dijo Benavente. Pero aquél me tuvo trastocado todo el día, con menoscabo de mi rendimiento en el restaurante Casa Cecilia, cocina riojana.

El mismo sueño, con ligeras variantes, se repitió la noche siguiente, y la otra, y la otra. Sueño tras sueño, yo avanzaba poco a poco en la tarea de triar y reorganizar el material. A veces creía estar en presencia de alguien a quien nunca conseguía ver. En una ocasión pedí a esa presencia oscura un ordenador personal para facilitar los cómputos, pero la presencia oscura me proporcionó una triste calculadora de bolsillo, aduciendo que no debía quedar rastro de mi trabajo. Encima de oscura, tacaña. Si tenía sed, me daban agua del grifo. ¿A Vd. qué le parece, señor Asmarats?

El despertar me resultaba cada día más trabajoso, mi estado de salud empeoraba y el conserje me hacía cara de pomas agrias. Pensé en ir al médico, pero no soy de ninguna mutua.

Al cabo de no sé cuánto, una mañana, cuando me vestía para acudir al restaurante Casa Cecilia, cocina riojana, encontré en el bolsillo interior de la americana un bolígrafo BIC del cual con toda certeza yo no era propietario, aunque recordaba haber usado uno idéntico en el sueño. Me quedé tieso. Luego, en el autobús, fui atando cabos: la forma repetitiva y consecutiva del sueño, cansancio, confusión de mente y turbulencia de vísceras, incluso la mala cara del conserje, todo aquello sólo podía responder a que el sueño no era tal sueño, sino pura e irreductible realidad. ¡Mecachum!, me dije, ¿y ahora qué?

20

EL SEÑOR LARRAMENDI SIGUE LARGANDO

Esta segunda parte, o podríamos decirle capítulo, es más triste. Como ya le expliqué en nuestra primera entrevista, en el mismo edificio que yo, vivía una chica joven y bonita. Decía llamarse Olga Baxter y como tal figuraba en el buzón, pero siempre sospeché que aquél no era su nombre de pila, como el mío no es Mikel Larramendi, ni mucho menos. Además de ser guapa, la señorita Baxter tenía una expresión inteligente, alegre y simpática. Era amable y dicharachera conmigo y con el resto de los vecinos, tanto en el ascensor como en la portería. Algunas veces coincidíamos al volver a casa. En realidad, no había tal coincidencia. Yo la esperaba y me hacía el encontradizo como por casualidad. Si a esto se le puede llamar amor, no le sabría decir. Vine al mundo soltero y así he seguido hasta el día de hoy, y aunque hice el bachiller con los curas, mi formación humanoide es defectuosa y no sé expresar los sentimientos. Además, entre la señorita Baxter y yo no había nada que hacer: aparte la diferencia de edad, no le podía ofrecer un porvenir. Si aún hubiera estado en la Generalitat otro gallo habría cantado.

En el transcurso de estos breves encuentros, ella me había ido explicando que era aspirante a maniquí, que hasta el momento no le había salido ninguna oportunidad de triunfar y que vivía en la estrechez y la incertidumbre. Yo me desesperaba pensando que la necesidad la podía obligar a descarriarse, y soñaba con ir a verla y decirle: Toma, nena, aquí tienes veinte mil duros; ya me los devolverás cuando puedas; y si necesitas más, me lo dices.

Un día, poco después del descubrimiento del bolígrafo BIC, nos encontramos en el rellano de mi piso la señorita Baxter y yo. En su cara leí pintadas la tristeza y la preocupación y no pude evitar preguntarle si le pasaba alguna cosa. Ella me contestó que no quería incordiarme con sus cuitas y yo le respondí con vehemencia que ella no me incordiaba nunca y que si tenía algún problema, pues para eso estábamos los vecinos de la escalera. Mientras la bajábamos me dijo que a final de mes debía dejar el piso por no poder pagar el alquiler. La noticia, como ya se puede Vd. imaginar, me dejó consternado. Al instante, sin embargo, como el náufrago que antes de sumirse en el océano se agarra a un pez volador, me vino una idea a la cabeza. Le dije que no se preocupara, que en un par de días yo estaría en condiciones de resolver su situación, y tal vez la mía. Ella, que seguramente me había visto noche tras noche vomitando y meando en la calle, me miró con una mezcla de compasión y escepticismo. Entonces yo, sin otra intención que la de ser creído, se lo conté todo. Allí mismo, señor Asmarats, en el rellano: mi vida anterior, mis antiguos contactos con la APALF, mi doble vida presente: cocinero de día, contable de noche. Le dije que en esta última actividad, o podríamos decir reencarnación, manipulaba grandes sumas de dinero repartidas por remotos y no tan remotos paraísos fiscales. Y le prometí desviar fondos a una cuenta corriente que abriríamos a nombre de los dos. Una cuenta indistinta. No sé si me creyó.

Aquella noche, en el sueño, traté de hacer un pufo. No me salió, y tampoco en noches sucesivas. En ESADE me habían enseñado muchas cosas prácticas, pero no a conciliar el mundo onírico con la realidad. Me compré una edición de bolsillo de *La interpretación de los sueños*, pero todo eran pollas y de contabilidad nada. Pasaron los días. No volví a hablar con la señorita Baxter, pero, como ya le dije, por las noches la espiaba asomado a la ventana, y varias veces la vi bajar de un coche negro. Eso me dio mala espina. Traté de sonsacar al conserje acerca de las costumbres nocturnas de la señorita Baxter, pero él no quería tener tratos conmigo y me mandó a freír monas.

Una mañana... Me tiembla la mano al llegar a este momento, señor Asmarats, usted sabrá disculparme si se me escapa un gazapo... Una mañana sonó el teléfono. Descolgué y una voz luctuosa dijo: Asómate a la ventana y verás a tu amiguita en el jardín. Si te vas de la lengua, tú serás el siguiente.

Hice como me decía el misterioso llamador y vi, medio oculto por las ramas del laurel, un cuerpo exánime. A medio vestir me precipité escaleras abajo. En el jardín, junto al seto, comprobé que el cadáver era el de la señorita Baxter. Volví a entrar y llamé al conserje. O estaba limpiando y no me oyó o me oyó y se hizo el sordo. Salí a la calle y pedí ayuda a grito pelado. Sin zapatos ni pantalones, en pleno frenesí y con fama de baranda, la gente del vecindario me rehuía. Llegué hasta el paseo de San Gervasio, di media vuelta, regresé. Alguien debía de haber avisado a la policía, porque en aquel preciso momento llegó una ambulancia y dos hombres se llevaban en una camilla el llorado fiambre. Entre los mirones corría la versión de que el asesino era un loco desaprensivo. No la contradije pero no la creí. Luego, al hablar con usted, mi incredulidad se convirtió en certeza. Aun así, no dije nada a la policía. Sólo que había encontrado el cadáver y santas pascuas.

Anteanoche llamó a mi puerta el espectro, o también podríamos decir el alma en pena de la señorita Baxter. Entendí lo que venía a decirme: a ella la habían matado y ahora me tocaba el turno a mí. Mi trabajo de contable nocturno estaba prácticamente acabado, ya no me necesitaban y era un testigo peligroso.

Fui al restaurante Casa Cecilia, cocina riojana, como cada día y referí la aparición a mi compañero de trabajo. Me escuchó y me aconsejó que saliera de naja. Así lo hice y anduve vagando sin rumbo todo el día. Al caer la noche, sin tener a dónde ir, sin saber a quién recurrir y sin ganas de seguir viviendo, me fui a mi casa y me metí en la cama.

Dormía, llamaron, me desperté, era oscuro. Abrí. En el rellano había un ninja. Vaya susto. Le pregunté si venía a matarme. Dijo: No, imbécil, a salvarte. Reconocí bajo el envoltorio la voz de mi compañero de trabajo en Casa Cecilia, cocina riojana, pero no supe si era él o si me había enredado en otro sueño de los míos. Me obligó a meterme en un saco sin tiempo a recoger mis cosas. No salí del saco hasta que estuvimos a salvo en el autobús nocturno. Él de ninja y yo en pijama y pantuflas dábamos la nota, pero nadie se atrevió a meterse con nosotros.

Ahora estoy en casa de él, en la Verneda. Es un piso pequeño y lo comparte con otros seis asiáticos, gente cortés y reservada. A instancias suyas escribo esta confesión, que alguien llevará a Casa Cecilia, cocina riojana, donde usted, si va, la encontrará y hará de ella el uso que estime oportuno. Los tribunales y los medios de difusión deben conocer la existencia de APALF y sus diabólicas acciones, incluido el asesinato de la señorita Baxter. A esta asociación pertenecen nombres bien conocidos en Barcelona: Muntaner, Casanovas, Villarroel, Rocafort, Viladomat, Entenza. Caiga sobre ellos el peso de la ley, aunque su condena arrastre la mía.

Firmado: Magí Amigó y Santaló

A este prolijo relato seguían unas líneas escritas con pulso firme, pero con una letra deplorable. Escueta y en los términos desabridos propios del autor, decía así:

«Tonto el que lo lea. Soy Ubach de Bután, el compañero de Magín en Casa Cecilia, cocina riojana. Ayer hablamos de fantasmas sentados en la acera. Tú eras descreído, yo di verismo a la aparición y su mensaje: alguien planeaba matar a Magín. No lo podía permitir. A la noche, saliendo del trabajo, fui a su casa. No tengo armas ni sé nada de artes marciales. Da lo mismo: todo es mental. Pasé por una tienda de disfraces. Quería uno de yeti, pero como no lo tenían, alquilé el de ninja para meter miedo. Dio resultado. Con ayuda del conserje lo saqué antes de que llegaran a liquidarlo. Magín está escondido hasta que todo se aclare. Que te zurzan».

Aquí finalizaba la confesión, cuya lectura me dejó sumido en el desconcierto, pues si bien aclaraba lo esencial del caso y me exoneraba de toda responsabilidad en el asesinato de la señorita Baxter, no me ofrecía indicio sobre cómo proceder a partir de aquel momento ni qué hacer con el documento.

Poco tiempo tuve, sin embargo, para cavilaciones. Sin previo aviso me sentí levantado en vilo del banco por cuatro brazos nervudos, arrastrado unos metros y arrojado ante un par de formidables zapatones.

—Jo, jo, jo, ¿a quién tenemos aquí? —canturreó una conocida voz.

Absorto en la lectura, no me había percatado de la llegada de un coche ni de la maniobra de aproximación realizada por sus ocupantes.

—Siempre me alegra verle, comisario —respondí golpeando tres veces el suelo con la frente—, y en la presente ocasión, por partida doble.

—Ah, ¿y cuál es el motivo de esta doble y recíproca alegría? —dijo él.

Como era inútil tratar de ocultar la existencia del manuscrito, opté por tomar la iniciativa.

—Señor comisario, tengo el gusto de hacerle entrega de este importante documento —dije uniendo la acción a la palabra—, que disipará cualquier malentendido habido entre nosotros.

El comisario Flores cogió el pliego y mientras los agentes me ponían las esposas y me registraban concienzudamente, se sentó en el banco que yo había ocupado un rato antes y leyó con suma atención la declaración del señor Larramendi. Acabada la lectura, suspiró y dijo:

—¡Vaya bomba! A la judicatura le esperan horas extras, si esta deposición llega a sus manos. Lástima —agregó acto seguido dejando ir una a una las hojas que formaban la confesión— que sople una terrible ventolera en esta elevada cima, auténtico Himalaya barcelonés.

Mecidas por la suave brisa, las hojas estuvieron revoloteando en el aire confundidas con las bandadas de gaviotas y finalmente se perdieron en dirección al mar. Maldije mi ingenuidad, pero no tenía intención de rendirme todavía, por lo que apenas la última página hubo desaparecido en el horizonte, me apresuré a decir:

—No se preocupe, comisario. En previsión de albures atmosféricos, hice una copia y la puse a salvo de posibles pérdidas.

—No me lo creo —respondió el comisario Flores con media sonrisa en sus finos labios y una sombra de duda en sus ojitos porcinos.

La aparición del subteniente Asmarats nos sacó del punto muerto creado por nuestros mutuos envites. Surgió repentinamente de unos arbustos y la coloración de su tez atestiguaba agitación y prisa.

—Señor comisario... —empezó a decir.

El comisario Flores le interrumpió con un ademán.

—¿Dónde está? —dijo dirigiéndose a mí—. A ver, esa copia, ¿dónde está?

—En este preciso instante, no lo sé, señor comisario —respondí—. Esta misma mañana se la entregué a la señorita Westinghouse. Suele reunirse con unas amigas en un bar de la calle Escudellers. Se llama Facundo Hernández. Quizá todavía las encuentre allí. Son muy parlanchinas.

El comisario Flores se levantó del banco y se encaró con su subordinado.

—Asmarats —dijo—, llama para que detengan a esa estantigua y me la traigan ahora mismo. Y a sus compañeras también. Venga, venga, mueve las pezuñas, Asmarats.

El subteniente mostró las palmas de las manos e hizo una mueca acongojada.

—Imposible, señor comisario —murmuró—. Detener a la señorita Westinghouse y compañía, imposible.

—¿Por qué? ¿Dónde coño se han metido?

—En la cárcel, señor comisario.

—¡En la cárcel! ¿Y quién ha sido el gilipollas que las ha encarcelado?

—Yo mismo, señor comisario.

—¿Por orden de quién?

—Fue cosa del Ayuntamiento, señor comisario. Ya sé que el tema putas, travestis y chaperos no es competencia de la Casa Grande, pero desde hace unas semanas corre un proyecto consensuado de limpiar el Barrio Chino. El consistorio estuvo dando la vara al Ministerio del Interior y al final el Ministerio cursó la orden, que yo llevé a cabo con la mayor diligencia. Como siempre, señor comisario.

—Al menos les serían decomisadas sus pertenencias.

—No, señor comisario. Cuando las detuvimos no opusieron resistencia ni armaron alboroto a cambio de conservar el bolso. Fue un quid pro quo, señor comisario.

Decidí intervenir en este punto del animado diálogo.

—Comisario, yo de usted llamaría a la Modelo y diría que soltaran a las detenidas de inmediato, no sea que empiecen a circular fotocopias del documento por las galerías. A la población penal le encanta la chismografía.

—¡Asmarats! —rezongó el comisario Flores—. Ya lo has oído.

Salió corriendo el interpelado a llamar desde el coche patrulla y regresó al punto para informar a su superior de que la orden había sido cursada y sería cumplida sin demora.

—Siendo así —sugerí—, podríamos despedirnos en este bello paraje. Será para mí un honor estrechar y aún besar sus manos si previamente me quitan las esposas.

—Ni lo sueñes —replicó el comisario Flores—. Como yo no he leído ninguna confesión exculpatoria, para mí todavía eres el principal sospechoso del asesinato de esa chica.

Con una tosecilla timorata el subteniente Asmarats solicitó permiso para decir algo.

—Perdone, señor comisario, precisamente cuando se produjo el lamentable incidente de la ventolera venía a darle la noticia de que el culpable se ha entregado voluntariamente.

—¿El culpable de la ventolera?

—No, señor comisario. El culpable del asesinato de la señorita Baxter.

—Joder, siempre dejas las cosas a medio decir, Asmarats. Así no hay quien se entere de nada. ¿Y quién es el culpable? No pretenderás que hagamos una quiniela.

—No, señor comisario —dijo el subteniente Asmarats—. El presunto asesino es un tal Llewelyn de París. El nombre verdadero, tal como figura en su DNI, lo están chequeando nuestros archivos y lo retransmitirán a la mayor brevedad. El denunciado, que es el propio denunciante, dirige una agencia de modelos en la cual la difunta estaba matriculada. El denunciante compareció por propia iniciativa y por sus propios pies en la comisaría de su barrio y denunció haberla matado con sus propias manos. El móvil del crimen fueron sus propios celos. Así consta en la declaración del denunciante, firmada de puño y letra por el compareciente.

—¿La mató por celos? —pregunté sin disimular mi extrañeza.

—Efectivamente —dijo el subteniente Asmarats—. La víctima, según el denunciante, se la pegaba con otros. En el gimnasio. Y con un vecino de la escalera. El denunciante la mató por eso y para demostrar que no era gay.

Guardamos un rato de respetuoso silencio. Luego el comisario Flores escupió en el césped y farfulló:

—¡Vaya desenlace más tonto!

II

1

CÁNDIDA EN LA VENTANA

Una tarjeta falsificada acreditativa de mi condición de pensionista sin derecho a pensión y una pinta acreditativa de mi pertenencia a dicha categoría me permitían utilizar metros y autobuses sin pagar, e incluso a reclamar la cesión de un asiento reservado a ancianos, parturientas e impedidos con sólo escenificar una adecuada combinación de desfallecimiento y mala leche. Así me desplazaba.

Al bajar del L-10 en la confluencia de las calles Guipúzcoa y Cantabria, empezaban a caer algunas gotas. Aún tuve que andar diez minutos y al llegar ante el portal ya llovía con ganas, por lo que estuve apretando el timbre del interfono sin cejar en el empeño hasta oír la cascada voz de Cándida quejarse de la insistencia y preguntar quién era.

—Abre, Cándida —dije precipitadamente—. Soy yo. Me mojo.

—No conozco a nadie con un nombre tan raro —dijo ella.

—No es mi nombre, atontada —le grité—. Soy tu hermano.

—¿Y cómo sé que no eres un malhechor?

—¡Soy las dos cosas! ¿No reconoces mi voz?

—Podrías ser un imitador. A ver, la contraseña.

—¿Desde cuándo tienes contraseña?

—Desde el miércoles. Aún no se la he dicho a nadie.

—¿Entonces cómo voy a saber la contraseña? Venga, Cándida, déjate de sandeces y abre.

Desde su traslado a la otra punta de la ciudad, donde ahora vivía, Cándida se había vuelto pusilánime. Antes ni yo ni nadie la habíamos visto jamás atemorizada. Había nacido, crecido y pasado su vida entera en el fondo más bajo de los bajos fondos, y su entorno, su profesión, su falta de discernimiento y los líos en los que se veía envuelta por mi culpa, la habían expuesto a todo tipo de riesgos y violencias, sin que tal cosa minara su ingenuidad, su confianza en los demás y su pachorra. La ignorancia, la estrechez de miras y la falta de luces le hacían considerar natural lo que el resto de los humanos habrían considerado un infierno. Vivía en la más absoluta despreocupación y cuando las cosas venían mal dadas, sin extrañeza ni queja capeaba el temporal como podía, se escondía o salía huyendo; si se veía acorralada, se defendía con una sartén, unas tijeras, un alfiler, un imperdible o lo que tuviera a mano, y, a falta de adminículos, a puntapiés, cabezazos, rodillazos, manotazos, codazos, arañazos y mordiscos, tras lo cual, y como último recurso, se hacía la muerta, generalmente con buenos resultados, porque su cara de pánfila, su cutis ceniciento y la calidad de los perfumes que se echaba daban credibilidad al fingimiento.

Pero su temeraria inconsciencia se esfumó cuando la transformación de Barcelona en la última década del siglo xx desplazó a los habitantes endémicos de las zonas más insalubres y encanalladas de la ciudad vieja a barrios nuevos y bien equipados. Ahora Cándida ocupaba una vivienda de treinta metros cuadrados, con ventana al exterior, agua corriente, electricidad e instalaciones sanitarias básicas, en el octavo piso de un bloque sito en la confluencia de la calle del Pedagogo Carrasca con la calle del Vampiro Llopart, en la urbanización de Santa Perpetua Bondadosa, más conocida popularmente como Yonkie Gardens, un lugar infinitamente mejor que las siniestras madrigueras de donde provenía, pero al que Cándida no había conseguido aclimatarse a pesar del tiempo transcurrido.

Llegué al rellano echando el bofe después de subir a pie las ocho plantas, porque, según me había contado la propia Cándida, un inquilino espabilado había arrancado y vendido el cable del ascensor como chatarra, en vista de lo cual la junta de vecinos vendió el motor y el camarín y se repartió los cuartos. Llamé con los nudillos, ofrecí nuevas garantías de mi verdadera identidad, oí ruido de cerraduras, fallebas y cadenas, y se abrió una rendija de una puerta de contrachapado tan endeble que un recién nacido la habría podido reventar a golpes de sonajero.

—¿Qué haces aquí a estas horas? —fue el cariñoso saludo—. ¿Y qué traes en estos paquetes? Ah, y límpiate los zapatos en el felpudo.

—He venido a hacerte una visita —respondí pacientemente—. Estos paquetes son mis herramientas de trabajo. Y el felpudo desapareció un mes antes de que el alcalde de Hospitalet inaugurara la urbanización.

Me dejó paso y mientras perdía el tiempo atrancando la puerta, entré en el muestrario de suciedad, desorden y mal gusto que pasaba por sala de estar, desembaracé el sofá de viejas revistas de cotilleo y me senté. Cándida se reunió conmigo después de asegurar la puerta y señaló los recipientes que yo había dejado sobre la mesa.

—Rezuman —dijo—. ¿Son para mí?

—De ninguna manera —dije—. Tengo un cargo importante en un restaurante de cocina china y este pedido debería haberlo entregado hace una hora, pero cuando iba de camino me ocurrió una cosa extraña. Por eso estoy aquí. Necesito tu ayuda.

Una suspicacia no del todo infundada transformó en mueca horrible las facciones de Cándida. Los recelos derivados de su desubicación se habían visto potenciados por la ausencia de Viriato, su improductivo, mezquino y repelente marido, recluido, desde hacía poco más de un año y a raíz de un incidente embarazoso, en una residencia de ancianos de máxima seguridad, donde consumía sus horas de embrutecimiento mirando al techo y sus esporádicos intervalos de lucidez tratando de robar, pegar y dar por el culo a los demás asilados.

—Claro que nada impide —agregué para contrarrestar la natural reserva de Cándida— que probemos estos manjares deliciosos. Si vamos con tiento, no se notará.

Mientras abría los envases con cuidado, para poder volverlos a cerrar sin dejar traza de la manipulación, referí a Cándida el incidente del perro y los recuerdos provocados por aquel suceso en apariencia nimio. Cómo muchos años atrás, cuando todavía me hallaba inmerecidamente recluido en el sanatorio había sido sacado de él con engaños y lanzado a la búsqueda de un presunto perro extraviado para ser luego acusado sin motivo del asesinato de una modelo de nombre Olga Baxter; cómo gracias a mi ingenio había conseguido librarme de la policía y con tesón pugnado por resolver el caso y demostrar de este modo mi inocencia y, en resumidas cuentas, todo cuanto rellena los capítulos precedentes y el paciente lector sin duda tiene in mente. Al principio, absorta en la comida, no me escuchaba; luego se fue poniendo en funcionamiento su anquilosado cerebro y poco a poco, conforme iba trayendo a colación los episodios en los que ella había desempeñado un pequeño papel, incluida su detención y posterior estancia en un calabozo de la Jefatura Superior de Policía, fue saliendo de su torpor. Al finalizar yo el relato y ella el contenido de los recipientes, que había estado picoteando primero y devorando luego a dos carrillos, exhaló un suspiro de hartazgo y de resignación, y dijo:

—Lo que no entiendo es para qué quieres desempolvar ahora aquel asunto ni en qué puedo serte útil. Apenas recuerdo el caso y ni siquiera llegué a saber cómo acabó.

—De la manera más insustancial —le expliqué—. El novio de la víctima confesó haber cometido el homicidio y a mí me volvieron a encerrar en el sanatorio.

—Ah, pues eso es lo que yo llamo un final feliz —dijo Cándida.

—Pero poco satisfactorio —alegué—. Me gustaría saber alguna cosa más y esclarecer puntos oscuros.

—Pues yo sigo sin verle la utilidad —dijo Cándida—. El culpable recibió su castigo. Punto y seguido. ¿Qué provecho sacarás de remover trapos sucios? Si no queda nada por descubrir, habrás trabajado en vano. Y si queda algo por descubrir, igual te metes en otro lío. Y de paso a mí. ¿Y todo para qué? Ahora tienes un trabajo estupendo, vives como un rajá...

Sus razonamientos quedaron interrumpidos por un timbrazo proveniente del bolsillo trasero de mi pantalón. Saqué el teléfono móvil, respondí a la llamada con monosílabos y colgué. Cándida lanzó un silbido.

—¡Vaya con el señorito! —exclamó—. Con su móvil y todo... Podías haberme llamado para decir que venías y me habrías ahorrado un mal rato.

—Es un móvil de uso restringido —aclaré—. Me lo dio la empresa. A mí se me puede llamar, pero yo no puedo llamar. Les sirve para pegarme broncas. En esta ocasión, unos clientes insaciables reclaman la comanda.

—¿Lo ves? Aún no has empezado a investigar y ya surgen complicaciones.

No repliqué. Había dejado de llover, un débil rayo de sol atravesaba no sin esfuerzo el mugriento cristal de la ventana y con él reanimaban su danza aérea los ácaros y las polillas. Cándida volvió a suspirar.

—En fin —murmuró con encogimiento de hombros—, allá tú. Dime qué quieres de mí. Pero que conste que no pienso hacer nada de nada.

—Eres un cielo, Cándida —dije. Y antes de que se extinguiera su predisposición a cooperar, me apresuré a añadir—: ¿Te acuerdas de la señorita Westinghouse? Aquella chica encantadora con la que compartías un pisito de ensueño. ¿La sigues viendo?

—No —repuso con tristeza—. En cuanto consiguió reunir el dinero para pagarse el cambio, le perdí la pista. Sólo vivía para eso. Yo misma le presté mis modestos ahorros. Y la muy ingrata, en cuanto consiguió su objetivo, se fue sin devolverme el dinero y casi sin despedirse. Sólo le interesaba mi dinero para el cambio.

—¿Qué cambio, Cándida?

—¿Cuál va a ser? El del nombre: se llamaba Bermudo López y se quería llamar Bermudo Westinghouse. En el registro le ponían pegas, así que no le quedó más remedio que sobornar a un funcionario malcarado. Suerte que en este país todo se arregla aflojando la mosca, que si no, no sé cómo lo haríamos los pobres.

—¿Y no has vuelto a saber nada de ella?

La pena provocada por la ingratitud de su amiga, unida al efecto de las especias y condimentos propios de la cocina china, le hizo verter lágrimas por los ojos y lanzar por las fosas nasales dos mocazos como dos torpedos.

—Nada —balbució—. Ni una postal, ni un christmas...

—¿Y no podrías averiguar su paradero? —insinué.

Un nubarrón de recelo volvió a cubrir la deprimida frente de Cándida.

—Ya te he dicho que no pienso mover un dedo —proclamó.

—Haces mal —dije—. Si yo llegase a encontrar a la señorita Westinghouse, podría recuperar el dinero que te debe.

—¿Cómo? —arguyó—. No tengo comprobante. Además, la deuda habrá prescrito, con arreglo a la actual legislatura.

—Eso déjalo de mi cuenta —dije—. Tengo mis métodos. No podrá resistirse a mi coerción. Le sacaremos el monto de la obligación, más los intereses que fija el Banco Mundial Europeo. Ya sabes cómo las gastan en Bruselas.

En los ojillos de Cándida fulguraba un rescoldo de duda. Hizo cálculos mentales y finalmente asintió con la cabeza.

—No lo hago por mí, sino por mi pobre Viriato

—dijo—. El otro día le fui a ver al asilo y lo encontré muy despierto. Si no fuera por los excrementos y todo lo demás, está mejor que tú y que yo. Y me han hablado de un especialista...

Fue hasta una cómoda sin patas, abrió un cajón, dejó salir a las cucarachas que lo ocupaban, rebuscó entre los papeles y me tendió una tarjeta que decía:

EGREGIO DOTTORE ARCIMBOLDO
ESTAFADOR
REGENERA A LOS IDIOTAS, HACE CRECER A LOS ENANOS,
RESUCITA A LOS MUERTOS
PRECIOS A CONVENIR

—Hasta hace poco —dijo— ejercía en Estados Unidos, pero justamente hace un mes ha venido a vivir a este barrio. No soportaba el estrés de la fama.

Volvió a guardar la tarjeta en el cajón de la cómoda, esperó a que las cucarachas entraran ordenadamente en su acuartelamiento, lo cerró y fue a colocarse frente a la ventana.

—Ya está otra vez ese canalla degollando a su mujer —comentó con fastidio.

Me puse a su lado y miré hacia donde me señalaba. Desde que vivía sola, Cándida había adquirido la costumbre de pasar las horas asomada a la ventana, vigilando las del edificio de enfrente. Como la calle era ancha y ella cegata, interpretaba lo que veía de acuerdo con su imaginación, y el terror en que vivía sumergida transformaba quehaceres domésticos habituales en escenas de indescriptible violencia.

—Cándida, sólo es un pobre diablo cortando un melón a rajas —le dije.

—Sí, sí, un pobre diablo... ¡Un barba azul! —replicó con firmeza—. Cada semana el mismo suplicio. Voy a llamar pidiendo auxilio.

Como su larga trayectoria profesional en el difuso margen de la ley la había imbuido de una aversión insuperable hacia los cuerpos de seguridad del Estado, cuando creía ser testigo de un crimen horrible, en vez de llamar a la policía o a la guardia urbana, llamaba al servicio de atención al cliente de Endesa, Telefónica, Fenosa, Agbar u otra empresa de suministros. Si después de una larga espera alguien contestaba a su llamada, la dejaban hablar y luego trataban de venderle un nuevo plan, con lo cual, tras un prolongado coloquio, ambas partes quedaban convencidas de haber cumplido con su deber.

Mientras Cándida recorría el reducido cuarto de estar escuchando atentamente la reiterada musiquilla que salía del teléfono inalámbrico, a la espera de ser atendida por una operadora, anoté en un papel el número de mi móvil para que pudiera ponerse en contacto conmigo si averiguaba algo, recompuse como mejor pude los envases de comida vacíos y salí del piso sin despedirme.

El cielo se había limpiado de nubes y del aguacero sólo quedaban charcos sucios en las ondulaciones del pavimento. Eché a andar hacia la parada del autobús con celeridad para no retrasar más la entrega de la comida china que debía haber efectuado un par de horas antes, pero me detuve antes de doblar la esquina y miré hacia la ventana de Cándida. A pesar del reflejo del sol en el cristal, me pareció distinguir su silueta, todavía con el teléfono en la oreja, esperando hacer su acuciante llamamiento. Por descontado, yo no tenía la más mínima intención de mover un dedo para la liberación de su marido a cambio de la ayuda solicitada, pero al verla tan acongojada, pensé que no habría de venirle mal la distracción que le proporcionaba mi encargo.

2

VUELTA A EMPEZAR

Regresado en la misma línea de autobús al punto de partida, me dispuse a rematar la entrega de los dos envases, no sin antes reponer su contenido, que Cándida había devorado un rato antes. Para ello contaba con el dinero que el restaurante me confiaba regularmente para tener cambio a la hora de cobrar, siempre antes de entregar la comida, y del que más tarde había de rendir cuentas, estrictamente verificadas por el encargado con ayuda de un ábaco y profusión de gritos. Entré en una pizzería, me hice recalentar una porción de la pizza del día (tomate, mozzarella, piña, boniato y espárragos), la subdividí en dos partes equitativas, introduje a presión cada uno de los trozos en su respetivo envase y los volví a precintar. Quedó bastante bien.

Tranquilizado en lo concerniente al aspecto formal de mi mandato, comencé a cumplirlo cuando sentí de nuevo el desasosiego generado por mis recuerdos y cavilaciones y sin apenas reparar en lo que hacía, volví a subir al autobús H10, hice transbordo al V15 en el Cinc d'Oros y, con una relativa inversión de tiempo y paciencia, me encontré de nuevo en la esquina del paseo de San Gervasio con la calle de Sant Hilari.

Nada parecía haber cambiado en los años transcurridos desde que yo había estado allí por última vez, salvo que en aquella ocasión yo iba vestido de señorona y ahora ya no. Las casas habían sido restauradas y repintadas para conservar su estado prístino, los jardincitos seguían estando bien cuidados, los setos presentaban el mismo aspecto de suculencia y simetría. Seguía en pie el árbol desde cuyas ramas yo había acechado las sinuosas andanzas del señor Larramendi y el ir y venir del siniestro coche negro. Como es sabido, cuando entre dos visiones media un largo período o intervalo, las cosas parecen más pequeñas de como uno las recordaba. En el caso de los árboles, este efecto psicológico se ve compensado por su natural crecimiento; y en mi caso particular, yo me había encogido unos centímetros, de modo que dejé para más adelante el enrevesado cómputo y continué hasta la entrada del número 15. Atravesé el jardín. La puerta del edificio estaba abierta. Entré. En el mostrador del conserje no había conserje. Aguardé unos minutos y no vino nadie. Tanta negligencia me hizo pensar que el puntilloso conserje de antaño debía de haberse jubilado y haber sido reemplazado por otro menos concienzudo. Harto de esperar, llamé con los nudillos a la puerta de la antigua vivienda del conserje. Casi de inmediato abrió una mujer rolliza, con el pelo crespo y los ojos saltones. Durante unos segundos nos estuvimos mirando de hito en hito. Finalmente rompió ella el silencio para decir en tono amable:

—Hola, ¿cómo te encuentras hoy?

—Muy bien, gracias —respondí. Y tras un nuevo silencio agregué—: Vengo a pedir información.

Una sonrisa tan amplia dilató su rostro que los mofletes se le juntaron con las cejas y desaparecieron los ojos saltones.

—Magnífico, magnífico —dijo haciéndose a un lado—. Pasa, ponte cómodo y te daré toda la información que desees.

Un poco extrañado ante aquella desmedida deferencia, entré. La decoración de la pieza había cambiado por completo. El suelo estaba enmoquetado, de la ventana suspendida, una cretona floreada dejaba entrar una luz tenue y de las paredes colgaban grandes fotografías en color de montañas nevadas y prados floridos. El mobiliario consistía en una mesa de oficina, unas butacas tapizadas de blanco y unos armaritos de hospital. Al fondo había un camastro articulado. La mujer cerró la puerta, me hizo tomar asiento, se colocó delante de mí recostando el trasero en el borde de la mesa y recobró la seriedad antes de hablar.

—¿Conoces los fundamentos de la aromaterapia? —preguntó.

—No, señora. Yo...

—No importa, no importa. Aquí lo único que importa es dejar de lado toda resistencia y abandonarse al influjo de los sentidos. A ver, dime, de todos los sentidos, ¿cuál es el predominante a efectos sensoriales? ¡El olfato! ¿Por qué? Porque al olfato no nos podemos resistir. Podemos cerrar los ojos, cerrar la boca, retirar las manos, hacernos el sueco. Pero el olfato siempre está de guardia. Y, lo que es más, el olfato conecta directamente con el hipotálamo, y el hipotálamo, ¡menudo pájaro! Los olores nos estimulan, nos tranquilizan, despiertan y adormecen nuestros instintos primarios. Lavanda, bergamota, pachuli, ylang-ylang... cualquier cosa menos el tufillo de pizza recalentada que sale de esos paquetes —dijo señalando los envases que yo trataba de mantener en alto para que no cayeran sobre la moqueta las gotas de salsa de tomate que se filtraban por la base—. ¿Deseas información sobre algún punto en concreto?

—Sí. Usted no es la portera, ¿verdad?

—¿Lo parezco? —respondió arrugando el entrecejo.

—No tengo parámetros para juzgar ni me interesa —dije—. Tiempo atrás aquí habitaba el conserje. Lo pregunto por eso.

—Si lo hubo —dijo ella sin deponer su actitud vejada—, fue hace siglos. Cuando yo vine ya no había portero y la vivienda había sido convertida en local de negocios. Lo alquilé y puse mi consultorio: Aromaterapia Rosamari.

—Bueno, en tal caso...

—En tal caso, ¿qué? ¿Te parece poco la aromaterapia? Pues déjame decirte una cosa: hasta no hace mucho, yo pensaba como tú. Mírame: tengo cuarenta años. Mis padres eran hippies. Los dos. Se conocieron en Ibiza en los setenta y allí se quedaron no sé cuántos años, fumando canutos, bañándose en pelotas y diciendo chorradas. Al regresar a Barcelona, hartos de aburrirse y hacer el ridículo, habían desperdiciado su juventud y no les quedaba ni un diente. Nunca consiguieron un trabajo estable ni un mínimo de equilibrio psicológico. Desde que tuve uso de razón los consideré un par de zánganos y así se lo demostraba a todas horas de palabra y de obra. Aunque el abuso de sol y hachís les había reblandecido el cerebro, ellos se justificaban como podían. En una época difícil de la Historia ellos habían optado por hacer el amor y no la guerra. Ésta era su cantinela. Y yo: ¿La guerra?, ¿qué guerra? Y ellos: ¿Cuál va a ser? ¡La de Vietnam! Y yo: ¿La guerra de Vietnam? ¿Por eso os fuisteis a Ibiza? ¡Pero si ni siquiera sabéis dónde está Vietnam! Así nos pasábamos la vida. Sólo por llevarles la contraria estudié Administración de Empresas. De viaje de fin de carrera, porque así lo organizaron unos del curso sin consultarme, fuimos precisamente a Vietnam. Al llegar allí lo entendí todo. Había habido ciertamente una guerra larga y sangrienta, pero no la habían ganado ni los americanos ni el Vietcong, sino mis padres. Ahora de la guerra ya no se acordaba ni Chuck Norris y Vietnam se parecía mucho a Ibiza. Como buena yuppy, establecí contactos comerciales con excombatientes de ambos bandos y al regresar a Barcelona empecé con el negocio de la aromaterapia. Ellos me enviaban mixturas y colgaban propaganda en Facebook. Al principio me fue mal, luego regulín y a partir de la crisis me va de fábula. La gente sin trabajo tiene mucho tiempo libre y aquí lo puede perder de un modo saludable por poco dinero. ¿Oler frascos sirve para un cuerno? ¡Por supuesto que no! ¿Placebo? Sí, claro, pero ¿qué no lo es hoy en día? Los hombres van de putas y hablan de fútbol, las mujeres ven la tele, pero todo eso no es suficiente, especialmente para las mujeres. Por eso las mujeres beben y consumen drogas, siempre lo han hecho, más que los hombres. Si no fuera por las mujeres, ¿cómo habrían medrado Escobar, el Chapo y media humanidad? En Barcelona, a la puerta de los supermercados, hay más camellos que en Baltimore. En las películas y en las series no sale, porque las mujeres lo hacen con discreción, como todo, desde siempre. Aromaterapia Rosamari cubre parte de sus necesidades. Es un remanso de paz y al mismo tiempo un centro de rehab. ¿Alguna información adicional?

—Sí —dije cuando hubo recuperado el aliento y parte de la compostura—. ¿Conoce a todos los vecinos del inmueble? No hace falta que me diga si se drogan. Sólo si alguno lleva aquí un montón de años.

—En el tercero segunda hay dos abueletes. Cuando yo vine ya estaban, pregúntales a ellos.

—Muchas gracias. Y disculpe la molestia.

Subí al tercer piso y toqué el timbre. Tras una breve demora abrió un hombre enjuto, encorvado, con la cara arrugada y las rodillas temblorosas. Llevaba un esquijama gris bajo una bata de lana a cuadros y una manta parda a modo de capote le cubría desde los hombros hasta los tobillos. El piso estaba a oscuras y la luz del rellano le deslumbró momentáneamente.

—Muy buenas —le dije en voz alta por si era sordo—. No soy un cobrador ni un inspector ni un vendedor. Ni hago encuestas.

El hombre frunció el ceño: lo de las encuestas le había defraudado.

—Entonces, usted dirá —murmuró fríamente.

—Hace unos años —proseguí sin desanimarme—, vivía en este edificio un tal señor Larramendi. Reputado gastrónomo. Muchas veces vine a traerle comida como la presente —añadí mostrándole los envases—. Al señor Larramendi le encantaba la pizza... y también la comida china. El señor Larramendi le hacía a todo. Usted sin duda sabe de quién le hablo.

—¿Larramendi el del asesinato? Pues claro. Yo siempre dije que acabaría así.

—¿El qué?

—El asunto.

—¿El asunto del asesinato?

—Sí, el de la señorita Baxter. Si la policía me hubiera escuchado en vez de tomarme las huellas...

—¿Podríamos seguir hablando del tema más espaciadamente y en un lugar más discreto? —dije.

—Por mí no hay inconveniente y me sobra tiempo —respondió el hombre, a todas luces animado ante la perspectiva de darle la paliza a un desconocido. Pensó un rato y añadió—: Le invitaría a pasar, pero en el piso hace un frío insoportable. Barcelona goza de buen clima, eso no se puede negar. El problema es que las calles son estrechas y los edificios altos, así que el sol no llega a ninguna parte, salvo en verano, cuando uno preferiría estar a la sombra. En esta época del año se está bien al aire libre. En cambio, los pisos conservan el frío húmedo del invierno y uno se congela. Nosotros también. Me refiero a mi esposa y a mí: somos muy frioleros; se nos mete el frío en los huesos y aunque estalle una primavera rabiosa, seguimos tiritando hasta San Juan y, según el año, hasta San Jaime. Antes...

De la oscuridad del piso surgió una voz aguda y lastimera que decía:

—¡Jovellanos, los tirabeques!

Mi interlocutor levantó las manos sarmentosas en ademán de disculpa.

—Perdone la interrupción —murmuró—. Es mi esposa. Con su permiso.

Se lo concedí con un movimiento de cabeza y él se volvió hacia la negror y gritó:

—¡En la fresquera, Cholita!

Luego dirigiéndose a mí y bajando el volumen, explicó:

—Es para la tortuga. Era la mascota de nuestro hijo. La tenía desde pequeño. Se la compramos en un puesto de las Ramblas cuando aún no caminaba y ya es un hombre hecho y derecho. Estos animalitos duran mucho: un siglo o más, si no las chafan o les pasa algo malo. Nuestro hijo vive en Australia. Aquí no encontraba trabajo y allí hay un montón de oportunidades para la gente joven. Pero no le dejaron entrar la tortuga. Consultó por internet con la embajada y le dieron un no tajante. En Australia hay tiburones, caimanes y serpientes venenosas, pero le denegaron el permiso para entrar una pobre tortuga. Y como no la íbamos a tirar, la tenemos nosotros. Nos hace compañía. No mucha, si le he de ser sincero. En cuanto empieza el frío, se pone a hibernar, y en este piso, eso es casi todo el año. Ahora ha salido de la hibernación y no para de pedir comida. Le gustan con locura los tirabeques.

—Y a quién no —convine—, pero usted estaba a punto de contarme algo cuando nos han interrumpido.

El gélido carcamal hizo memoria y exclamó:

—¡Ah, sí! Le iba a contar que antes teníamos una estufa eléctrica. Hará cosa de un lustro se averió y no hay manera de encontrar quien la repare. Sobre todo en un barrio tan señoritingo. Y comprar una estufa nueva está por encima de nuestras posibilidades. De todas formas, confío en solucionar pronto el problema, porque mi hijo vendrá a visitarnos dentro de un año o dos y ya verá como lo primero que hará, en cuanto llegue, será comprar una estufa nueva.

—De estos temas tan interesantes hablaría usted a menudo con el señor Larramendi, supongo —dije.

—No, no, de ninguna manera —dijo haciendo aspavientos y visajes como si se le hubiera aparecido un trasgo o él se hubiera vuelto uno—. Mi esposa y yo evitábamos la compañía del señor Larramendi. Hasta la tortuga se escondía en su caparazón si por casualidad se encontraban.

—¿Puedo saber la causa de la aversión? —pregunté.

El anciano vacilaba. Para vencer sus escrúpulos, y dado lo avanzado de la hora, le propuse compartir conmigo no sólo la información sino también la pizza. Inclinada sin mayor esfuerzo la balanza, me indicó por señas que esperase allí y volvió a entrar en su inhóspita vivienda.

3

EL GÉLIDO CARCAMAL ME PONE AL DÍA

Estuve un rato en el rellano, a la espera de acontecimientos. Pegando la oreja a la puerta del piso, oí dentro castañetear de dientes y voces confusas que parecían discutir. Finalmente se abrió de nuevo la puerta y reapareció el anciano con dos inestables taburetes de plástico.

—Aquí —dijo colocando los taburetes en el rellano e invitándome a tomar asiento en uno de ellos con gentil ademán— estaremos muy bien. A esta hora el vecindario adulto trabaja y la gente menuda aún no ha salido de la escuela. Mi esposa se excusa de acompañarnos y agradece su ofrecimiento, pero es celíaca.

Con estas y otras muestras de cortesía nos sentamos, abrí los envases, di un trozo de pizza al anciano, que empezó a comérselo con fruición, y yo me comí el otro mientras prestaba oídos a su deposición.

—Toda mi dilatada vida laboral —empezó diciendo— se desarrolló en el seno de la administración pública. Honrado y eficiente como ninguno, el estricto cumplimiento de mis funciones no me impidió practicar continuamente el más abyecto servilismo ante los poderosos, que, dada mi categoría, eran casi todos los demás. Durante años, trienios y décadas vi pasar a miles de poderosos, ascender y declinar, ascender y declinar. A todos adulé por igual y de todos recibí el mismo trato. Al final, después de una vida entera de rutina y bajeza, saqué una enseñanza, y esta enseñanza se la voy a transmitir aquí mismo, en este preciso instante, en el rellano. Dice así: el poder es un peligro. Tome nota: poder igual a peligro.

Escupió los grumos y guijarros que nunca faltan en la comida barata, tosió, hizo una pausa y prosiguió:

—Entienda bien la máxima: el poder trae aparejado peligro para quien lo ejercita, eso es obvio; basta hojear la prensa o ver la televisión. Los poderosos de ayer hoy se hacinan en las cárceles del reino, ja, ja. Pero mi admonición no se refiere a esta faceta del poder. Ponga atención, caballerete: el poder también encierra un serio peligro para quien está cerca, y muy especialmente para quien se le arrima. Cuentan que en los legendarios reinos orientales era obligación de los súbditos cubrirse los ojos al paso del monarca para no ver su cara. El que la veía, siquiera fuera de refilón, pagaba su osadía con la vida. Pues sepa usted que esta sabia medida no iba encaminada a enaltecer la figura del monarca, sino a proteger al populacho. Pero, ¡ah! —añadió frotándose las manos, sea de satisfacción, sea por tenerlas ateridas—, ¡ah! —repitió—, ¡cuán difícil es sustraerse a la atracción del poder! Como en la docta fábula, por miles acuden las moscas a un panal de rica miel.

—Infiero —intercalé— que tal fue el caso de la señorita Baxter. Lo digo porque he de hacer unos encargos y a este paso nos darán las uvas y no habremos entrado aún en materia.

El anciano se restregó los labios con el dorso de la mano, se limpió el dorso de la mano con el pantalón y dijo:

—En cuanto vi al señor Larramendi, distinguí alrededor de su cabeza el aura de quien ha tenido poder: un nimbo indeleble, que acompaña al poderoso, como al ángel caído, incluso en los momentos de degradación física, moral y pecuniaria. Por esta razón procuré eludir el trato con el señor Larramendi.

—No así la señorita Baxter...

—Ésa llegó más tarde. Se vino a la gran ciudad con lo puesto y con la cabeza llena de fantasías. En aquellos años nadie daba un duro por Barcelona, pero aun así, la gente joven seguía viniendo y viniendo, para ser devorada por el implacable Behemot. ¿Sabe quién era Behemot?

—¿El alcalde?

—No, hombre. Un monstruo mitológico. Así devora la ciudad a las muchachas incautas. Si son tontas, los hombres las cazan al vuelo. Si son listas, se dan cuenta de dónde se han metido y son ellas las que salen a cazar pardillos. ¿En qué categoría encuadraremos a la señorita Baxter? Hum. No le faltaba instinto. En cuanto vio al señor Larramendi, percibió el aura del poder y, atraída como la polilla por la llama o las moscas por la miel... Lo de las moscas ya lo he dicho, ¿verdad?

—Sí.

—Bueno, pues como la mona por las uvas verdes. Así la señorita Baxter empezó a rondar al señor Larramendi, haciéndose la encontradiza...

—Yo tenía entendido que era el señor Larramendi el que se hacía el encontradizo.

—Los dos. No sé cómo no se dieron de coscorrones, con tanto encuentro fortuito.

—Perdone, pero ¿ha dicho que vino después?

—¿Después de qué?

—Del señor Larramendi. Según mis informaciones, cuando el señor Larramendi alquiló su piso, la señorita Baxter llevaba tiempo viviendo en el tercero primera.

El anciano se llevó las manos a la cabeza y la movió como si tratara de comprobar que estaba bien sujeta al cuello.

—No me líe —dijo en tono lamentoso—. Vamos a ver..., el señor Larramendi llevaba un par de años en el segundo segunda cuando llegó la señorita Baxter. Si la memoria no me falla, la señorita Baxter vino a esta casa uno o dos meses antes de que la mataran.

Guardamos un rato de silencio mientras reconstruíamos mentalmente la secuencia de los acontecimientos.

—¿Y antes de la señorita Baxter —pregunté—, quién vivía en el tercero primera?

—Una pareja joven, con un bebé. Él era arquitecto y ella psicóloga. El bebé lloraba por las noches, por eso se me ha quedado grabado. Por suerte, la psicóloga se quedó embarazada otra vez y se fueron a un piso más grande. Y entonces fue cuando vino la señorita Baxter. Pero no estuvo más de un mes o mes y medio. Quizá menos. Tuvo la mala suerte de cruzarse con el señor Larramendi y, ya le digo, como las polillas. Van a la llama sin poderlo remediar y ahí se fríen de la manera más espantosa. Las demás polillas del enjambre lo ven, pero no escarmientan en cabeza ajena. Al contrario, se empujan y se insultan para llegar las primeras a la llama y freírse. De este modo se fríen a puñados, con un pestazo que no te lo acabas, como una barbacoa sulfúrica, si me permite el símil.

—¿Sólo dos meses?

—¿Lo de las polillas? No. Siempre es así.

—Me refiero a la señorita Baxter. Según usted, sólo ocupó el piso dos meses.

—Lo he dicho a ojo. No llevo la cuenta del vecindario y, además, ha pasado mucho tiempo. Si recuerdo algo es por lo del asesinato y el revuelo que se armó. Hasta la tele vino. La señorita Baxter estuvo aquí dos meses o menos. Más no, desde luego. En el verano de aquel año todavía estaba el niño llorón. Con las ventanas abiertas, nos daba la noche. Luego de irse el arquitecto y su familia, el tercero primera estuvo en alquiler varias semanas. Y luego entró la señorita Baxter.

Como sobre este tema la memoria del anciano ya no daba más de sí, opté por abordar la cuestión desde otro ángulo.

—Después de la muerte de la señorita Baxter, ¿siguió aquí mucho tiempo el señor Larramendi?

—No. Eso también lo recuerdo porque fue un poco raro. Verá: el señor Larramendi desapareció un día sin avisar ni despedirse. El conserje sostenía que lo habían asesinado, como a la señorita Baxter. Que un ninja o algo por el estilo lo había descuartizado y se había llevado los trozos en un saco. Como es natural, nadie le hizo caso. Y con razón, porque pasados diez o doce días de la desaparición, regresó el señor Larramendi, vivo y con todas las partes corporales en su sitio.

—¿Dijo dónde había estado o el motivo de la desaparición?

—A mí no me dijo nada. Y yo continué evitando todo contacto con él, ahora con mayor motivo.

—Pero siguió viviendo aquí. El señor Larramendi, digo. Después de reaparecer entero.

—No. En menos de una semana cargó sus cosas en un camión de mudanzas y se fue definitivamente.

—¿Qué decía el conserje de todo este trajín?

—No lo sé. El conserje y yo no manteníamos una relación verbal estrecha. Él era un poco plasta y yo, ya ve. Los dos juntos habríamos hecho un agujero negro.

—El conserje dejó este edificio hace años —dije cambiando de nuevo el enfoque del repaso—. Se jubilaría, supongo.

—Oh, no. No llegó a jubilarse. Ése también acabó mal.

—¿En qué sentido?

—En el peor sentido. Y todo por su culpa. Así, a bote pronto, no encuentro una fábula adecuada, pero ya se me ocurrirá alguna mientras le cuento la triste historia.

Habían pasado unos cuantos años desde los perniciosos sucesos objeto de mis pesquisas y había vuelto paulatinamente el sosiego a la calle de Sant Hilari, la normalidad al número 15 de dicha calle y la paz al espíritu de sus ocupantes, cuando un nuevo y extraño personaje vino a remover las aguas tranquilas y a alterar la existencia de quienes en ellas vivían sumergidos. Este extraño personaje era una mujer de edad indefinida, pobre de aspecto, de harapienta indumentaria y conducta furtiva. No pedía limosna ni hurgaba en la basura, pero su continuo deambular, calle arriba, calle abajo, día tras día, no podía menos que despertar sospechas acerca de sus intenciones. Reiteradamente el conserje le había indicado por señas que dejara de rondar la calle, e incluso había llegado a blandir la escoba con intención de amedrentarla, pero como la mujer no hacía nada malo y el conserje carecía de potestad sobre los viandantes, su empeño por ahuyentarla resultó infructuoso. Con el paso del tiempo y a fuerza de comunicarse, primero gestualmente y luego con la escoba, llegó a entablarse entre el conserje y la merodeadora una incipiente y limitada comunicación. En un español elemental, ella le dio a entender que había llegado hacía poco a Barcelona proveniente de una zona políticamente inestable y económicamente deprimida de los Balcanes, que no tenía trabajo ni cobijo y que había sufrido asaltos y malos tratos por parte de malhechores y también de la policía, razón por la cual se había refugiado en aquella calle, retirada y apacible, donde se sentía relativamente segura. También le dijo que se llamaba Sardina, que en su idioma quería decir jilguero. Con la proximidad y el trato, el conserje advirtió que la mujer no era tan mayor como su desastrado aspecto le había hecho pensar a primera vista, que sus modales destilaban sencillez y dulzura, y que lavada y sin greñas no carecía de atractivos. Finalmente el conserje le ofreció su casa y ambos iniciaron una convivencia que, como él se apresuró a asegurar, tanto a la propiedad y al administrador como a cada uno de los inquilinos, a cuyas puertas fue llamando humildemente, no contravenía ninguna norma, ni ética ni contractual, pues entre ellos no había intimidad ni la habría hasta tanto no hubieran contraído matrimonio, lo cual, añadía el conserje entre suspiros, estaba resultando más difícil de lo que en un principio habían calculado, porque el país al que pertenecía su futura esposa, a causa de su exorbitante déficit de la balanza fiscal y del incumplimiento flagrante de las condiciones impuestas para el rescate, había sido expulsado sin contemplaciones de la Unión Europea y, de resultas de esta medida, los súbditos de dicho país habían pasado automáticamente a ser inmigrantes ilegales, con lo que el papeleo necesario para casarse, ya cumplimentado, debía reiniciarse desde cero y seguir una vía harto más larga y complicada. Mientras tanto, la mujer mantenía una actitud discreta, trataba a todo el mundo con sumo respeto y ayudaba al conserje en la limpieza de la escalera. A las tres semanas de este casto arreglo, mientras el conserje dormía profundamente, sin duda por haber ingerido un somnífero vertido en la cena, ella dejó entrar en el edificio a cinco hombres y les entregó copia de las llaves de todos los pisos, que había ido haciendo mientras sacaba el polvo a las puertas y bruñía los pomos. En un abrir y cerrar de ojos, la banda desvalijó las viviendas sin despertar a sus ocupantes. Cuando a la mañana siguiente la policía consiguió sacar al conserje de su sopor y éste se enteró de lo ocurrido, sufrió un ictus, del que nunca se recuperó. Aún vivió un tiempo, recluido en un centro de salud, sin atreverse a salir de su habitación, ni siquiera cuando un psiquiatra conductista, para estimularlo, le decía que habían traído un paquete o una carta certificada. La mujer y sus cómplices nunca fueron apresados, ni se recuperó el botín obtenido por medio de aquel engaño inicuo.

El anciano estaba a punto de coronar su relato con una moraleja cuando sonó mi móvil. Como era de temer, llamaban del restaurante para indagar la causa de mi retraso en la entrega de la comida a domicilio, cuyo destinatario, a su vez, había llamado amenazando con anular el encargo y hacerse una tortilla, porque se subía por las paredes de hambre. Respondí que estaba a punto de llegar a mi destino, colgué y salí corriendo.

4

LA DEPORTISTA INEXISTENTE

El Sporting Club Santa Clara había cambiado su nombre por el de Club Esportiu Santa Clara de l'Ou, pero su apariencia seguía siendo la misma: el césped rezumaba frescura, las plantas arbustivas habían sido podadas escultóricamente y el edificio no presentaba suciedades ni desconchaduras. Como era de suponer, Mingo, el avispado recepcionista, ya no estaba detrás del mostrador, ni don Bernabé de Paquito seguía en la dirección del centro, como me hizo saber el nuevo recepcionista cuando pregunté por él. Al decirle que deseaba hablar con el actual director, el nuevo recepcionista, en cuyo distintivo se leía el nombre de Melcior, me examinó de arriba abajo, detuvo un instante la mirada en los envases de comida, a la sazón vacíos pero en modo alguno impolutos, y me preguntó que para qué.

—Es por lo de la sauna —dije a falta de mejor excusa.

—¿Qué pasa con la sauna? —preguntó Melcior.

—Nada —respondí—. Quería saber si todavía funciona.

—Hasta hace un rato todos los servicios del club funcionaban a la perfección; de lo contrario, yo sería el primero en saberlo —repuso Melcior levantando las cejas con petulancia—. ¿Para eso quería ver al director?

—Bueno, para eso y para hablar de un asesinato en el que se vio implicado el club hace unos años. Pero si el señor director está ocupado, puedo volver más tarde con una orden judicial y un coche patrulla.

—Tenga la bondad de esperar un segundo —dijo Melcior.

El nuevo director debía de frisar la cuarentena, era ancho de hombros, llevaba la cabeza rasurada y pulida y le desbordaba la jovialidad.

—Siéntese, amigo mío, siéntese y póngase cómodo —dijo señalando una silla idéntica a la que yo mismo había ocupado en mi anterior visita, pero tan reluciente como si nadie más se hubiera sentado en ella desde aquella remota ocasión—. Si quiere, puedo decir que le desembaracen de esos envases grasientos.

—No —respondí colocando los envases debajo de la silla para ocultarlos a su melindroso escrutinio—, forman parte de la investigación.

—Ah, ya entiendo —dijo el nuevo director sonriendo de medio lado—. Policía científica, ¿eh? ¡Hoy las ciencias adelantan! Te miran un pelo por el microscopio y saben cuánto tiempo llevas sin follar. Ja, ja, ja. ¿En qué puedo serle útil?

—Verá, señor...

—Niko.

—Señor Niko...

—Niko a secas. Los amigos me llaman Niko a secas.

—En tal caso —dije yo—, iré directamente al grano. Hace años una socia de este club fue asesinada. No en el recinto del club, sino fuera. Hechas las oportunas indagaciones y según espontánea confesión del interesado, el asesino también resultó ser un socio del club. Estos hechos, lamentables en sí y por el descrédito que hubieran podido arrojar sobre el club, nunca salieron a la luz, gracias a la pronta y eficaz cooperación del entonces director del club, don Bernabé de Paquito, con quien tuve el placer de trabajar codo a codo, en estrecha armonía.

—¡Ah, don Bernabé de Paquito! —exclamó Niko levantando los brazos hacia el techo como si invocara el espíritu del ausente—. Su recuerdo perdurará por los siglos de los siglos. ¡Todo un personaje! Él levantó el club a pulso. El club le debe mucho. Por desgracia —prosiguió tras una breve pausa—, él también le debía mucho al club y al final le dieron un puntapié en el mismísimo culo. ¡Todo un personaje! Marcha, lo que se dice marcha, no le faltaba. Ahora, de gestión, ni zorra idea. Se creía que esnifando coca sin parar se arregla todo. Al cabo de un tiempo empezó a meter mano en la caja para pagar a los camellos que le abastecían. Cuando ya sonaban las trompetas de la bancarrota, unos cuantos socios prefirieron tapar el descubierto a quedarse sin pista de tenis. A don Bernabé de Paquito le indicaron que dejara las llaves en la mesa, saliera de puntillas y no hiciera ruido al cerrar la puerta.

—¿Y luego? —pregunté.

—Luego separaron el cargo de director deportivo y el de gerente. Uno controla el dinero y el otro, que soy yo, se ocupa de la parte lúdica. Se lo cuento para poner de manifiesto que no hay vinculación alguna entre este club y el club de don Bernabé de Paquito.

—¿No sabe dónde podría localizarlo? —dije—. Tengo interés en hablar con él.

—No sé nada de don Bernabé de Paquito —dijo Niko—. Yo sólo llevo aquí año y medio y el club, como entidad, prefiere no saber nada del personaje ni de sus posteriores andanzas. Alguien oyó que al salir de aquí estuvo trabajando en un club de medio pelo como monitor de tenis y más tarde, de recepcionista en un hotel de Salou. Ahí se pierde su rastro. ¿Le interesa algo más, aparte de la biografía de don Bernabé de Paquito?

Iba a contestar que no, pero antes de abandonar aquella vía, se me ocurrió una idea.

—Me gustaría ver la ficha de una socia que dejó de serlo hace mucho tiempo, a raíz del ya mencionado asesinato de otra socia, a la que unía una fuerte amistad. En su momento pedí esa ficha y me dijeron que no estaba en el fichero, porque la socia en cuestión había causado baja. ¿Es posible que en algún lugar conserven las fichas de todas las personas inscritas en el club, presentes o cesantes?

—No. El sistema manual de fichas quedó obsoleto con las nuevas tecnologías y al informatizar la administración sólo se incluyeron en el banco de datos los nombres de los socios a partir de ese momento.

—Vaya, pues no he tenido suerte —dije levantándome—. Le agradezco su amabilidad y no le entretengo más.

—No me dé las gracias —dijo Niko sin moverse de su silla—. Mi función primordial es dejar una grata impresión del club, en lo deportivo y en lo personal. Mi lema es: si pasa algo, aquí está Niko. ¿Por qué le interesa esa ficha, si no es indiscreción?

—En su día —dije ya de pie, con los envases en la mano y yendo hacia la puerta— esa socia mostró un especial interés por el asesinato de su amiga y aportó información útil para la eventual resolución del caso. Si ahora pudiera hablar con ella, le haría algunas preguntas complementarias, sobre aspectos del caso que quedaron sin aclarar. Pero para eso tendría que localizarla, sólo sé su nombre y ya no existe el listín de teléfonos.

Niko golpeó la mesa con las palmas de las manos para desahogar su entusiasmo y exclamó:

—¡Vuelva a sentarse! Si tenemos el nombre de la persona, podríamos vehicular la búsqueda de otro modo. Confía en Niko y no saldrás con las manos vacías, es mi lema... Uno de mis lemas.

Descolgó el teléfono, pulsó un botón y al instante dijo:

—Lorena, guapísima, has de hacerme un favor, ¿vale? No te muevas que vamos para allá.

Colgó sin esperar respuesta y me brindó una amplia sonrisa.

—Cuando el lío aquel de don Bernabé de Paquito, las fichas de los socios carecían de interés, pero a efectos contables se hizo una minuciosa relación de los pagos de las cuotas desde la fundación del club. Esta relación todavía estará en el disco duro. No sé dónde ni cómo recuperarla, pero ha de estar. Con un poco de habilidad y un poco de suerte, igual damos con el nombre de la socia y a partir de ahí, con su DNI, su domicilio en aquella época y alguna otra cosa. Lorena es la encargada de las cuentas. Y una crack de la informática.

Fuimos a otro despacho, donde nos esperaba Lorena. Era una cincuentona teñida de rubio, con cara de malas pulgas. Niko le explicó el objeto de mi búsqueda y Lorena se puso a batallar con una pantalla empeñada en calificar de error todos sus intentos. Después de reiniciar varias veces el sistema operativo, exhaló un gemido y dijo:

—Ya está.

—¿No se lo decía yo? —exclamó Niko—. ¡Una crack!

—¿Cuál es el nombre de la persona que busca? —preguntó Lorena.

—Callado —dije yo—. Normalina Callado.

—No consta —dijo Lorena después de teclear y pulsar varias veces Ctrl y Alt.

—Si la inscripción y las cuotas las hubiera pagado otra persona —sugerí—, por ejemplo, el padre de la interesada, ¿quién figuraría en la lista?

—La interesada —repuso Lorena sin vacilar—. La procedencia del dinero es irrelevante a efectos contables. Muchos socios cargan el pago de las cuotas a sus empresas para desgravarlas como gastos. Eso a nosotros nos trae sin cuidado. En la lista consta el nombre y el documento de identidad del socio.

—De lo cual cabe inferir —dije yo— que en este club nunca ha estado inscrita una persona llamada Normalina Callado.

—Nunca —dijo Lorena taxativamente—. Lamento no poder complacerle.

—No, no, al contrario —dije yo—. Esta comprobación me resulta muy valiosa. A decir verdad, antes de verificarla, ya me barruntaba algo parecido. Les reitero mi más profunda gratitud. Y, si no es abusar de su amabilidad, ¿hay algún sitio por aquí cerca donde pueda comprar comida china a buen precio?

Niko movió la cabeza negativamente. Lorena miró los envases, me miró a mí y dijo:

—El club tiene un restaurante. Sirven quinoa, tofu y esas cosas. Sólo funciona al mediodía, a esta hora ya no sirven comidas y las sobras van a parar a la basura. Puedo llamar y decir que guarden un poco. Si no, en la parte de atrás de la cocina están los cubos. Buena suerte.

Salía del club muy satisfecho con los envases a rebosar cuando sonó otra vez el móvil. Estuve tentado de no contestar, pero finalmente lo hice y, con gran sorpresa por mi parte, en vez de oír una ácida bronca oí la aguardentosa voz de Cándida.

—Luego dirás de mí —exclamó alborozada—. ¡He localizado a la señorita Westinghouse! ¿Tienes un momento?

—Estoy con unos proveedores —respondí—, pero te escucho. Con lo que vale una llamada de móvil a móvil seguro que será breve.

—Tengo tarifa plana, tontaina. Y buenos contactos, como verás.

Mientras alardeaba, me alejé unos metros de la puerta del club, me senté en el bordillo de la acera y me dispuse a escuchar el relato de Cándida.

Corrían malos tiempos para mucha gente, y para nadie peor que para la señorita Westinghouse. El despegue económico de Barcelona, en el que había depositado tantas ilusiones, tardaba en producirse; sus conocimientos de inglés se habían estancado primero y malogrado luego por falta de práctica; el rendimiento de sus actividades profesionales menguaba de manera alarmante; el paso de los años dejaba huellas indelebles en su apariencia externa y en su ánimo, y se desvanecía poco a poco la esperanza de encontrar un hombre bueno, o incluso malo, dispuesto a llevarla al altar. En vista de lo cual, y aprovechando que un gobierno progresista y una opinión pública tolerante habían propiciado leyes avanzadas que derribaban barreras ancestrales y eliminaban antiguas formas de discriminación, la señorita Westinghouse renunció al sueño de convertirse en un ama de casa americana y solicitó el reingreso en la Guardia Civil. Al serle concedido de inmediato y sin trabas, descubrió con grato asombro que durante el largo período de excedencia había ido ascendiendo y ahora se reincorporaba con el grado de comandante. Con pesar, pero sin titubeos, guardó en el armario los vestidos estampados, las medias, los zapatos de tacón alto, los sujetadores y los complementos, tiró la peluca, las uñas y las pestañas postizas y los innumerables tubos y frascos de maquillaje, se puso el uniforme, las botas, el correaje y la boina, se dejó un espeso bigote y cumplió con sus obligaciones, ni mejor ni peor que el resto de sus compañeros, durante varios años, primero en la vigilancia de costas, luego en un despacho coordinando labores de rescate de montañeros en apuros y finalmente en las aulas del centro de formación de números, hasta que se jubiló con el grado de coronel, una hoja de servicios ejemplar, media docena de medallas y una pensión razonable. Ya retirado de la vida activa, publicó un manual titulado *Cómo convertir la casa cuartel en un hogar moderno* y un protocolo para los interrogatorios de presuntos terroristas que tituló *Pillow Talk* en memoria de Doris Day, a la que siempre había puesto a sus alumnos como modelo a seguir en todo momento y situación.

—Todo esto me parece muy bien, Cándida —dije cuando hubo acabado de contarme la historia de mi antigua compañera de investigaciones—, pero a mí me interesa saber dónde y cómo puedo localizar a la señorita Westinghouse hoy mismo.

—Jolines, yo matándome y a ti aún te parece poco —refunfuñó Cándida.

—Cándida, yo no te discuto el mérito. Pero los resultados son otra cosa. Sigue investigando y cuando tengas algo más concreto, me vuelves a llamar a este número.

—Sí, hombre, ¿y el gasto del móvil quién lo paga?

—¿No tenías tarifa plana?

—Sólo para las tres primeras llamadas. Luego son cinco euros el minuto. Y si hablo menos de un minuto, me penalizan.

5

EL HAM

Después de haber hablado con Cándida, el pundo-
nor me instó a postergar otras posibles acciones relacionadas con el caso hasta después de haber hecho debida-
mente la entrega de la comida a domicilio. Bajé, pues,
caminando hasta la plaza Bonanova y allí cogí el 58. Era
la hora de salida de los colegios y el autobús iba reple-
to de criaturas de varias edades y tamaños, todas en estado de gran excitación, lo que me obligaba a mantener en
alto los envases para evitar roces y aplastamientos y me
impedía agarrarme a las barras de sujeción, de modo que
iba dando continuos trompicones de la parte delantera
del autobús a la trasera y de la derecha a la izquierda. Me
apeé exhausto en la esquina de Muntaner y Aragón y me
puse a esperar el 20 para hacer en éste el resto del recorrido. Pero he aquí que, al encontrarme en aquel eje de
coordenadas, me asaltó la tentación de acercarme al lugar donde en su día estuvo ubicado el restaurante Casa
Cecilia, cocina riojana, para mí de muy feliz memoria y
ahora largo tiempo desaparecido. Siendo el local céntri-

co, yo había pasado por delante en incontables ocasiones y al hacerlo nunca había dejado de evocar los gustosos momentos vividos entre sus cuatro o más paredes, pero para cuando salí del sanatorio y me reinserté en la ciudad el restaurante llevaba tiempo cerrado y en su lugar había una tienda de zapatillas deportivas, posteriormente sustituida por un videoclub de barrio. Cuando el videoclub cerró sus puertas, dejé de prestar atención a un lugar que ya no guardaba ninguna relación conmigo ni me incitaba a rememorar nada. Si el trabajo, la molicie u otra razón llevaban mis pasos hacia aquella zona, seguía mi camino absorto en mis pensamientos, con los ojos puestos en el suelo o en las nubes, y pasaba de largo sin echarle una mirada, siquiera de soslayo. En esta ocasión, sin embargo, algo parecido a un llamamiento o requisitoria interior me impulsó a desviarme ligeramente de mi ruta y dedicar unos instantes al lugar que hoy encerraba solamente recuerdos y en su día albergó pistas cruciales.

Donde antes había estado el restaurante ahora había una tienda moderna, cuyo rótulo decía así:

EL HAM
Platos preparados y arroces
Degustación de vinos y gintonics
Cafés, tés, infusiones y tomates cor de bou
Chocolate con y sin cacao
Todo de elaboración propia

Me acerqué y atisbé a través del cristal. El interior de la tienda no se parecía en nada al antiguo restaurante: donde antes había penumbra y angostura, ahora reinaban la amplitud y la claridad. En anaqueles de madera blanca se alineaban tarros, latas y botellas y el mostrador era un despliegue de exquisitos bocados. Allí no había nadie.

Sin reparar en mis propios actos, abrí la puerta y entré. Sonó una risueña campanita y al instante surgió del interior una joven bonita pero algo entrada en carnes, sonriente, con delantal blanco. En una mano llevaba una barrita energética a medio roer. Se colocó detrás del mostrador y me dijo:

—¿Quiere ver la carta o ya tiene idea de lo que quiere?

—Ni lo uno ni lo otro —respondí—. En realidad, sólo quería hacerle una pregunta. Quizá le parecerá un poco tonta, pero ¿recuerda usted dónde estaba antes de nacer? No es una encuesta ni nada oficial. Y seguramente no la he formulado con la necesaria precisión. En síntesis, me interesa este local y no usted. Verá, antes de ser una charcutería, o lo que ustedes consideren que es esto, hubo aquí otros establecimientos, y en una época ya lejana fue un restaurante bastante malo...

Mientras yo hablaba, la dependienta se había zampado la barrita energética. Se pasó la lengua por los labios y dijo:

—¿Se refiere a Casa Cecilia, cocina riojana?

—Justamente —dije—. ¿Acaso ha oído hablar de él?

—A menudo.

—¿Cómo es eso, si se puede saber?

—Se puede saber —repuso— y es muy sencillo: la antigua propietaria de Casa Cecilia, cocina riojana, es mi madre. Con lo cual, de paso, respondo a su pregunta inicial. El restaurante lo fundaron mis abuelos cuando vinieron a Barcelona desde su Logroño natal. Al morir los abuelos, mi madre siguió al frente del negocio hasta conducirlo a la ruina. Cuando se casó con mi padre liquidaron el restaurante pero conservaron el local en alquiler. Aquí mismo abrieron una tienda de zapatillas deportivas, después un videoclub y no sé qué más. Todo se fue a pique. Ahora tenemos la charcutería. No nos va del todo mal, pero el contrato de alquiler antiguo está a punto de vencer y el dueño no nos lo renovará si no pagamos el triple, de modo que cerraremos y esta vez definitivamente.

—¿Se casó?

—¿El dueño del local?

—Su madre de usted.

—Soy hija legítima, si eso también le interesa.

—Sí, en cierto modo —dije—. ¿Todavía vive? Me refiero a su madre.

—Mi padre y mi madre viven y gozan de buena salud —dijo sin especial alegría—. Mi madre ha salido a un recado, pero no tardará en volver. Si quiere esperarla, por mí no hay inconveniente. Sólo le pido que esconda esos envases mugrientos para no ahuyentar a los clientes.

Polemizamos amigablemente sobre el destino provisional de los envases y finalmente convinimos en que yo los conservaría en la mano, pero correría a ocultarme con ellos en la trastienda si entraba un comprador. Estábamos limando diferencias cuando se abrió la puerta y sonó la campanita al entrar en la tienda una persona. Al ver de quién se trataba, me quedé quieto en vez de ocultarme, paralizado por la sorpresa.

Entró con la respiración entrecortada de quien ha caminado deprisa o con dificultad y cojeaba ligeramente. Al advertir mi presencia la desconfianza ensombreció su rostro. No me había reconocido, pero mis facciones debieron de convocar a su memoria imágenes confusas. Con el ceño fruncido y sin disimular su enojo se dirigió a la dependienta.

—¿Has acabado de despachar a este cliente? —preguntó con aspereza.

—No es un cliente —respondió ella lanzándole una mirada torva—. El señor me estaba haciendo unas preguntas y yo se las contestaba.

—¿Qué clase de preguntas?

—Sobre la tienda, y cosas por el estilo.

Yo permanecía inmóvil y silente, dispuesto a salir corriendo si era necesario. Una inspección más penetrante agudizó la desconfianza inicial del individuo.

—No conviene ir regalando información sin más ni más —masculló—. Nunca se sabe lo que se oculta detrás de una pregunta en apariencia inocente. En los negocios y en la vida en general, toda precaución es poca. Te lo he dicho mil veces, Vero. Pero tú eres ingenua. Ingenua y rebelde. En esto y en todo has salido a tu madre. Cuando yo la conocí, tu madre hacía igual: no tenía un no para nadie. Yo le advertía, la regañaba, hasta le di algún sopapo admonitorio. ¿Me hizo caso? ¡Ni por asomo! Incluso después de nacer tú se dejaba engatusar por el primero que le hacía unas cucamonas. ¡Las mujeres confundís la buena educación con las buenas intenciones!

—Según eso, ¿he de tratar a los clientes a patadas? —replicó Vero.

—Domeñarlos —fue la respuesta—. En su tienda el tendero es el rey. Al cliente, caña. Tu madre nunca entendió esta norma y perdió hasta las bragas.

No eran aquéllos los mimbres de una familia feliz, estaba yo pensando cuando él se dirigió a mí en un tono autoritario encaminado a demostrar en la práctica la teoría recién expuesta.

—A ver, señor curioso —dijo—, ¿qué quería saber sobre esta tienda?

—Su génesis y evolución —contesté con mansedumbre.

—No tienen nada de particular —volvió a mascullar mi interlocutor. Y luego, quizá tomándome por forastero o por alguien que, aun siendo natural del lugar, ha estado largo tiempo ausente, añadió—: Barcelona ha cambiado mucho en los últimos años.

—Me consta —dije yo—, y siempre para mejor, gracias a los sucesivos alcaldes con que el cielo nos ha bendecido... Por no hablar de la sociedad civil catalana, sin parangón en el mundo.

Estas palabras parecieron surtir un efecto balsámico.

—Aquí el andoba, es decir, el distinguido cliente —dijo volviéndose de nuevo a la dependienta y señalándome por encima del hombro con el pulgar—, parece legal. Pero eso —agregó acto seguido con voz severa— no te exime de la culpa. Recuérdame que esta noche te dé una azotaina.

—Si me pones la mano encima, te denuncio —dijo Vero entre dientes.

—Hazlo y te mato, resabiada —murmuró él.

El cantarín sonido de la campanita, que esta vez anunciaba la entrada en escena de un personaje femenino, puso fin a aquel escabroso diálogo.

En los años transcurridos desde nuestro último y apasionado encuentro Cecilia no había cambiado en nada, salvo un leve desfondamiento corporal, la piel ajada, un rictus de amargura en los labios y un pelo mal cortado y peor entintado. Además le habían crecido notablemente la nariz y las cejas. Sin reparar en mí, captó de inmediato la tensión existente entre Vero y su padre, su rostro se enrojeció y abrió la boca para decir algo. Antes, sin embargo, advirtió la presencia de un extraño, me miró, pasó del rubor a la palidez y exclamó:

—Mierda, ¿tú?

—¿Lo conoces? —preguntó el hombre de la casa frunciendo de nuevo el ceño.

—Sí —repuso ella—, y tú también lo habrías reconocido si no tuvieras el cerebro hecho natillas.

Él se encogió de hombros.

—He visto a muchos perdularios en mi vida —dijo en tono desdeñoso—. No puedo acordarme de todos.

Hubo un silencio, durante el cual todas las miradas se concentraron en mi persona. Debería haber aprovechado aquella momentánea pausa para salir por donde había entrado, pero atrapado en aquel torbellino de pasiones, yo también sentí bullir las mías.

—Cecilia —dije con un hilo de voz—, ¿cómo pudiste hacerme una cosa así?

Al oír mis dolidas palabras, dijo Vero:

—Mami, ¿tú también conoces a este gusarapo?

Cecilia le lanzó una mirada rápida, luego otra a su marido y repuso:

—Ten cuidado con lo que dices, guapita; este gusarapo podría ser tu padre.

Enrojeció Vero de vergüenza, enrojecí yo de turbación e igualmente el presunto padre enrojeció de ira. Ahora los cuatro compartíamos una subida de color y una posición harto incómoda. Lo cual no retrajo a Cecilia de enfrentarse a mí y decirme con exagerado sarcasmo:

—¿Pues qué? ¿Acaso había de quedarme cruzada de brazos mientras el restaurante se iba al traste, mis empleados se esfumaban sin dar explicaciones y tú vegeta-

bas en el trullo? De alguna manera había de salir del atolladero.

—Sí, sí —repuse—, lo entiendo. Incluso entiendo
que, faltando yo, te casaras con otro. Pero ¿tenías que ca-
sarte precisamente con Asmarats?

—Ay, hijo, fue el único que se puso a tiro. Con la
excusa de seguir tus huellas se personaba en el restaurante día sí, día también. Y cuando te detuvieron, seguía viniendo, como si yo no me hubiera enterado de nada. Él
mismo se puso el lazo al cuello. Yo sólo tuve que arras-
trarlo al registro civil. Como marido es un asco, pero era
eso o acabar durmiendo en un cajero.

—Mami —intervino Vero en este punto—, ésta no
es manera de hablar de papi.

—Tú te callas —dijo Asmarats—, o papi te rompe los
dientes. Aquí mi menda se basta y se sobra para ponerse en
valor. Y a las malas, todavía conservo el arma reglamenta-
ria y un kilo de Goma 2 que le incautamos al GRAPO en
los buenos tiempos. Es decir, que si me se antoja, hago una
escabechina, me mato y después vuelo el local.

Exhaló un suspiro de satisfacción por su vibrante ale-
gato, se volvió hacia mí y me apuntó al entrecejo con el
dedo meñique.

—Y usted —prosiguió—, quienquiera que sea, escú-
cheme bien.

Hizo una pausa para poner en orden sus ideas y apla-
car sus emociones. Ya lo había conseguido cuando se
abrió la puerta de la tienda, sonó la campanita y una pareja muy bien vestida entró en el establecimiento. Sin levantar la voz ni apartar los ojos de mis facciones, Asmarats dijo:

—La tienda está cerrada. El cartel dice OBERT y eso en
cristiano significa TANCAT.

—Sólo queríamos cien gramos de jamón de York —dijo la señora que acababa de entrar.

—En Mercadona lo encontrarán mejor y más barato. Además, en Mercadona es menos probable que alguien les pegue un tiro.

La pareja saludó y salió con la serenidad de los ricos ante cualquier muestra de repudio. Desembarazado de los inoportunos clientes, Asmarats reanudó el discurso interrumpido.

—Si como dice mi esposa —dijo sin dejar de señalarme— yo y usted nos conocimos tiempo atrás, sin duda en una época más respetuosa de las instituciones públicas y privadas, incluido el matrimonio, sabrá que fui muchas cosas, pero no un capullo. Allí donde iba imponía el respeto cuando no el temor. ¡Cuidado, que viene Asmarats! ¿Un caso insoluble?, ¡llamemos a Asmarats! ¡Va a hablar Asmarats, oído al parche!... Ay, aquélla habría podido denominarse la era Asmarats. Ahora, en cambio, míreme: dependiente de charcutería. Y todo por haber hecho caso a este zorrón. Cuando se jubiló el inolvidable, el inigualable, el llorado comisario Flores, yo era la persona más indicada para ocupar su puesto. ¿Me lo dieron? ¡Ja! Metieron a uno del partido de turno como quien mete un supositorio, y a mí me premiaron una vida de entrega, sacrificio e inmejorables resultados con una patada en salva sea la parte. No se atrevieron a echarme del cuerpo, claro está. Sabía demasiadas cosas. Me mantuvieron el grado y el sueldo. Pero al que ha derrochado adrenalina saltando de azotea en azotea disparando un AK-47, poner multas por estacionamiento indebido le sabe a poco. Hay muchas maneras de contribuir al bien común, es cierto, pero a mí lo del talonario me dejaba un regusto amargo. No sé si me explico. Entonces me dijo este zorrón: Salte del cuerpo, Asmarats, no te dejes pisotear, tú vales más que todos ellos. Ya sabe cómo pueden ser de persuasivas las mujeres cuando se ponen untuosas. Pide la jubilación anticipada, ratoncito, lo tuyo es el riesgo y la aventura, me decía. Con estas y otras zalamerías me convenció. En mala hora la hice caso. Todo eran mentiras. Necesitaba un tío con agallas, como yo, para sacar adelante sus negocios ruinosos. Además, estaba embarazada. Dijo que de mí, pero cualquiera sabe. Sin saber cómo me encontré vendiendo zapatillas deportivas. Luego, alquilando vídeos pirateados. Ahora, chorradas.

Fue a la estantería, sacó una botella y me la puso delante de la cara.

—Mire esto —masculló—. Aguardiente de arroz, ¿qué le parece? ¡Hasta las destilerías han caído en manos de los maricones!

Fuera había anochecido; los coches circulaban con los faros encendidos. Dentro del establecimiento, sus ocupantes componíamos un inmóvil, callado y mohíno cuarteto. Consumido su enfado, Asmarats había depuesto su actitud beligerante y lloriqueaba. Al cabo de un rato, para disimular su turbación e insuflarse nuevos ánimos, descorchó la botella del denostado licor y echó un trago. Contrajo las facciones, estornudó como un volcán y expectoró como un terremoto, volvió a poner el tapón a la botella y la restituyó al estante de donde procedía. Luego se enjugó los labios con la manga de la americana, me miró con los ojos todavía empañados y prosiguió diciendo:

—¿A qué ha venido? Todo iba bien hasta que su figura zarrapastrosa y sus abyectos envases pasaron bajo el dintel sin ser invitados y a todas luces sin intención de hacer gasto. Váyase. Aquí no le queremos, váyase. Éste es un negocio honrado y, habida cuenta de la coyuntura, relativamente próspero. En cuanto a nosotros tres, yo, mi esposa y nuestra hijita Vero, formamos una familia feliz. Quizá no feliz en el sentido en que usa esta palabra la prensa del corazón, la de las celebridades internacionales y los deportistas multimillonarios, sino más bien en el sentido del ganado vacuno. No sé si el concepto queda claro. Soy hombre de hablar llano. Ciertamente, yo y Cecilia no somos una pareja ejemplar; con toda seguridad ella me engaña con otros; a mis espaldas me critica, y también a la cara y me hace escarnio; sisa en las cuentas, descuida la casa y si pudiera me echaría cianuro en el carajillo. Sin embargo, dígame, ¿no es ése el comportamiento habitual de la mujer española? En fin de cuentas lo fundamental no es eso sino eso otro, es decir, que quede claro quién lleva los pantalones. Y ése es mi menda lerenda. Usted no me parece hombre bastante para entender mi filosofía del matrimonio, pero se la diré igual: yo partidario de la violencia de género no soy; ahora bien, a veces uno ha de echar mano de la pistola para defender su integridad. Y por lo que respecta a la Vero, ¿qué quiere que le diga? La chiquilla está en una edad difícil. Quizá debería haber superado ya la etapa preadolescente. En diciembre cumplirá los treinta y cuatro. También en eso son raras las mujeres, ¿eh? A ésa le pasa que no acaba de encontrarse a sí misma. Bebe, fuma, se droga, va con quinquis, lleva piercings no sé dónde y tatuados en el pompis garabatos; es rebelde, holgazana, malhablada, desastrada y me odia. Si de verdad no soy su padre biológico, me sentiría aliviado. Y a pesar de todo... —se interrumpió por haberle obturado la garganta la emoción, se aclaró la voz carraspeando, escupió en el suelo y prosiguió con voz entrecortada—: A pesar de todo, yo las quiero. No permitiré que nadie las haga daño o se interponga entre nosotros y eche a perder la armonía de este hogar, y menos con infundios y falsas alegaciones, ¿me entiende? ¡Falsas alegaciones!

Al callar dejó una vibración en la cargada atmósfera de la charcutería. Aguanté su mirada amenazadora, abrí los brazos y dije:

—Yo no he dicho ni pío.

Me miró desconcertado. Luego sacó un pañuelo arrugado del bolsillo trasero del pantalón, lo utilizó para restañar las lágrimas que le surcaban las mejillas y para sonarse las narices antes de volver a guardarlo. Finalmente se encogió de hombros y dijo:

—Ah, en tal caso...

Dio media vuelta y entró por donde Vero había salido al inicio del capítulo.

—Habla demasiado —dijo Cecilia cuando Asmarats hubo cerrado la puerta y no podía oírnos.

—¿Te maltrata? —le pregunté.

—Se guardará muy mucho —respondió ella—, salvo que consideres el sentimentalismo como una forma de agresión. En general, es un papamoscas. Todo se le va en palabras. Y por la pistola, no te preocupes: ni sabe dónde la guarda, ni hay munición, ni tiene idea de cómo usarla.

Hizo una larga pausa y luego dijo con tristeza:

—¿Alguna pregunta más?

—No —contesté—. Lo que quería saber ya lo he averiguado.

—Oh, ¿y qué uso piensas darle a esta averiguación? —volvió a preguntar.

—Todavía no lo he decidido. De momento, me he de ir. Unos clientes esperan la comida —expliqué mostrando los envases que todavía sostenía en ambas manos mientras ellos rezumaban viscosidades verdosas.

—Tú verás —dijo Cecilia. Y bajando la voz añadió—: Pero si encuentras algo incriminatorio, de mi marido o de quien sea, recuerda que hace tiempo, cuando este local aún era Casa Cecilia, cocina riojana, yo te ayudé y te di comida gratis y alguna cosa más. ¿No te enseñaron en la escuela que la gratitud es de bien nacidos?

—Yo nunca fui a la escuela —repuse—, pero no hace falta ir a la escuela para saber eso.

—Bueno, pues cuídate —suspiró ella mientras se dirigía a la trastienda—. Y si quieres algo, ya sabes dónde estamos.

Nos quedamos solos Vero y yo. Ella me estuvo mirando un rato con tanto interés como el que yo sentía por sus piercings. Al final preguntó en tono desafiante:

—¿De verdad podrías ser mi padre?

—No —respondí.

—Mi madre lo ha dicho textualmente —arguyó.

—La gente dice muchas cosas, sobre todo cuando está nerviosa —respondí mientras salía—. Tú procura no meterte en líos y deja que los mayores resuelvan los suyos como puedan.

6

BIZARRÍAS DE LA SEÑORITA WESTINGHOUSE

Eché a andar. Era de noche. A la altura de la plaza Letamendi me llamó Cándida por el móvil. Estaba cansado y me senté en un banco del jardín, debajo de una palmera. Cándida no era parca en palabras. Incoherente y difusa, dijo haber averiguado algo más sobre la señorita Westinghouse que posiblemente me permitiría localizarla si seguía interesado en ello. Confirmado mi interés, Cándida me contó que desde hacía unos años la señorita Westinghouse, reencarnada en el coronel Westinghouse, ahora en la reserva pasiva, intervenía en un programa nocturno de televisión de muy poca audiencia pero considerable repercusión en las redes sociales por la firmeza y contundencia de los pronunciamientos y las opiniones que en él se vertían. Cándida, poco aficionada a los debates por la dificultad que encontraba en seguirlos, no conocía el programa, pero su informante le había dicho que llevaba por título «El caballo de Bucéfalo es español», que lo emitía una cadena de televisión privada desde Madrid y que en un determinado momento del programa conectaban con un estudio de Barcelona desde el cual el coronel Westinghouse aportaba un encendido discurso y otros tacos sobre temas de rabiosa actualidad, bajo el nombre genérico de «La enseña». Apremiada por mí a no irse por las ramas, Cándida acabó reconociendo que su informante no había sabido decirle dónde se encontraba el estudio desde el que se emitía «La enseña». Repentinamente cansado y malhumorado, le reproché su ineficacia y colgué.

En otro banco, protegido por unos arbustos de la curiosidad de los viandantes, había una pareja joven, él liando un canuto y ella concentrada en teclear su androide. Me acerqué andando despacio y con una sonrisa para no provocar una reacción adversa de su parte. La chica no me hizo ni caso y el chico se limitó a esconder el canuto en forma perfunctoria.

—Disculpad la molestia, chicos —dije—. Sólo quería pediros que me buscarais una dirección en Google o en lo que sea.

—¿Una dirección de qué? —dijo el chico.

—De unos estudios de televisión donde echan un programa llamado «El caballo de Bucéfalo es español».

—Joder, ya sé de qué programa hablas, tío —dijo el chico—. Es un programa facha para fachas. Yo no lo he visto nunca, pero un colega me envía links. Sale un bujarrón que no para de insultar y amenazar a los catalanes. Por lo de la independencia y tal. ¿Tú eres de ésos?

—No sé nada del tema ni del programa —dije yo—. Yo voy a otra cosa. Un ajuste de cuentas.

—Joder, tío —exclamó el chico—, mola.

A los jóvenes les dices una palabra y ellos solos se montan la película.

La chica no había dejado de teclear. Sin levantar la cabeza farfulló una dirección en la confluencia de la calle Concilio de Trento con Julián Besteiro. La felicité por su habilidad y rapidez. El chico había terminado de liar el canuto y se lo llevó a los labios.

—Oye —dijo—, si encuentras el estudio de televisión y tienes ocasión de hablar con el bujarrón, le dices que lo de la independencia está hecho, tanto si le gusta como si no. Y que si los españoles dejan de comprarnos cava, arrancaremos las cepas del Penedés y plantaremos cannabis.

—También le puedes decir —añadió la chica cuando ya me iba— que cuando seamos independientes, como nos echarán de la zona euro y a la peseta no podremos volver, ya no habrá ricos ni pobres en Cataluña.

Se les veía relajados y de buen rollo. Les dije que gustosamente me habría quedado un rato de palique, pero que no disponía de mi tiempo.

Al salir del jardín me di cuenta de que por culpa de Cándida y su garrulería había dejado los envases en el primer banco. Volví corriendo a buscarlos. Estaban en el mismo sitio, pero un gato roñoso los había abierto y había desparramado el contenido por el suelo. Lo ahuyenté, reconstruí los envases con los trozos sueltos de cartón y volví a meter en ellos lo que alcancé a recoger. A continuación me dirigí a la calle Balmes y esperé a que pasara el autobús de la línea 7 dirección Diagonal Mar.

El trayecto no fue breve y después de apearme del autobús aún deambulé perdido por aquella zona sumida desde hacía unos años en una constante transformación, de modo que cuando llegué al edificio en uno de cuyos pisos estaba el estudio de televisión, según me había dicho la chica de la plaza Letamendi, debía de ser tarde. La calle estaba desierta y el edificio parecía abandonado. Pulsé todos los timbres del interfono y una voz femenina me preguntó quién era.

—¿La enseña? —pregunté yo a mi vez.

—¿Monseñor? —preguntó ella a su vez.

Respondí con un murmullo ni afirmativo ni negativo.

—Suba al tercero —dijo la voz.

Se abrió la puerta, entré, subí a pie por una escalera mal iluminada. En el rellano del tercer piso me esperaba una mujer de mediana edad, con el pelo cano y los ojos acuosos, vestida con un guardapolvo gris. Al verme hizo una reverencia y dijo:

—Alabado sea Dios y su santidad bendiga este estudio.

—Lo que haga falta —respondí en tono tajante para no seguir por un derrotero en el que no me sentía seguro.

—Pase —dijo ella invitándome a entrar en un piso desvencijado—. Le esperábamos antes. Por suerte, la providencia nos ha enviado un pequeño problema técnico y vamos con retraso. Avisaré de su llegada. Mientras tanto, sírvase aguardar en la salita. No le digo de maquillarse porque no se compadece con su dignidad ni el presupuesto nos permite empastifar a los entrevistados. Pero hay un ligero piscolabis a su disposición. En seguida estoy de vuelta con usted. Soy Velorio, para servirle.

Se fue y me dejó solo en un cuarto donde había un sofá destripado y una mesa, sobre la cual encontré, cubiertos por una hoja de periódico, cuatro brioches tan duros que las termitas habían renunciado a hincarles el diente. Uno contenía una loncha gris, otro un cuadrado verdoso. Dejé de investigar y volví a colocar el periódico en su sitio. Entró Velorio y repitió la reverencia. El pelo cano se le había puesto de punta.

—Tendrá que disculparnos, monseñor —dijo casi llorando—. Persiste la avería. Apelo a su indulgencia.

En aquel preciso instante la puerta se abrió de nuevo, esta vez con violencia, y el coronel Westinghouse hizo su entrada. Como si yo no existiera, se encaró con Velorio y dijo en tono colérico:

—¿Se puede saber qué demonios está pasando aquí?

—El Bonito está en ello —dijo Velorio.

En respuesta a esta invocación, entró trastabillando en la sala un joven fornido, guapo, con la cabeza rapada, una camiseta negra muy ceñida y cadenillas colgadas del cuello. Supuse que sería el Bonito y el diálogo subsiguiente me lo confirmó.

—¡Se ha caído el sistema! —empezó anunciando.

—¿En Madrid también? —preguntó el coronel Westinghouse.

—¡En todo el universo! —dijo el Bonito contoneando las caderas con desparpajo.

—Es la voluntad del Altísimo —suspiró Velorio santiguándose.

—¿Y qué hacen en Madrid? —volvió a preguntar el coronel Westinghouse.

—Lo de siempre —respondió el Bonito sin dejar de bailar—: emitir otra vez *Botón de ancla* y largarse a tomar copas.

El coronel Westinghouse dejó caer la cabeza con desaliento.

—El país va de cabeza al abismo y tú marcándote posturitas —dijo en tono de reproche—. Mañana lo quiero todo arreglado o te meto el router por donde yo me sé. ¿Lo has entendido?

—Sí, cariño —canturreó el Bonito.

—Se dice: a sus órdenes, mi coronel —le advirtió el coronel Westinghouse.

El Bonito se dirigió a la salida.

—Lo que tú digas, militarote —dijo desde el umbral.

El coronel Westinghouse se encogió de hombros y esbozó una sonrisa condescendiente.

—La juventud de hoy no tiene maneras —suspiró, y añadió como para sí—: los neonazis son nazis de segunda división. —Y dirigiéndose a Velorio, añadió—: En fin, poco más podemos hacer, hermana. Váyase a casa —y señalándome a mí—, pero antes de irse dígame qué pinta aquí este figura.

—¿Hermana? —inquirí sorprendido.

—Pues sí —dijo el coronel Westinghouse—. Aquí donde la ves, tan sandunguera, Velorio fue monja de clausura hasta que la echaron de la orden por aburrida. ¿No es verdad, Velorio?

—¡Por favor, coronel! —dijo Velorio con voz lastimera—. ¿Qué va a pensar monseñor?

—Ni monseñor ni leches —dijo el coronel Westinghouse—. Éste es un don nadie que se ha colado en el estudio.

—¡Un usurpador! —gritó Velorio. Y luego, bajando la voz y abatiendo la cerviz gimió—: Es culpa mía. Como esperábamos la visita de monseñor, di por sentado que quien llamaba era monseñor y no atiné a pedirle las credenciales. Pégueme, coronel.

—No se pase, hermana —dijo el coronel Westinghouse—. La confusión es natural. —Y dirigiéndose a mí aclaró—: Esperábamos a monseñor Castañuelas. No sé si has oído hablar de él. Es el único que ha tenido huevos para plantarle cara a la Conferencia Episcopal. Y si le dejaran salir del país, iría a Roma y le diría cuatro frescas a ese papa que nos han colado. Sólo nos faltaba eso: ¡un aficionado en el trono de San Pedro! El anterior era diferente. Los tenía bien puestos. Por eso le obligaron a dimitir: chantaje y tal. La curia está podrida. Ya verás como tampoco lo canonizan, ni en este siglo ni en los siglos venideros. ¡San Benedicto XVI, astronauta y mártir! Y tú, ¿a qué has venido?

—¿Llamo a los municipales, coronel? —preguntó Velorio.

El coronel Westinghouse se echó a reír.

—No hace falta, hermana —dijo—. Conozco a este tipo y es inofensivo. Juntos nos corrimos unas aventurillas hace años. En aquellos tiempos sabíamos divertirnos, ¿eh, tú? ¿Cómo me has localizado?

—No me ha costado nada —mentí—. El programa goza de gran popularidad.

El coronel Westinghouse me lanzó una mirada de soslayo.

—Dalo por hecho —afirmó desafiante. Y a Velorio—: Déjenos solos, hermana. Mi amigo y yo tenemos cosas de que hablar.

Velorio recogió de un rincón un bolso arrugado de nailon verde y salió entre reverencias y muestras de aflicción. Cuando nos hubimos quedado solos, el coronel Westinghouse me miró de arriba abajo y exclamó:

—¡Cuánto tiempo, cuánto tiempo!, ¡y no hemos cambiado nada! Bueno, tú estás un poco deteriorado. Yo, en cambio, ya ves, ni un gramo más, ni una arruga, ni una cana.

Había engordado no menos de cuarenta kilos y las costuras de su raído traje de tergal estaban a un tris de reventar; esta obesidad mantenía tensa la piel mate de su rostro abotargado y la mortecina pero despiadada luz de la bombilla colgada del techo arrancaba destellos cárdenos al apolillado bisoñé que le cubría el cráneo mondo. Me apresuré a darle la razón y él, muy ufano, sentenció mientras desprendía con suavidad el mostacho postizo del labio superior y lo guardaba en un estuche:

—A partir de cierta edad, la apariencia no es una cuestión de metabolismo, sino de actitud.

Dicho lo cual se dejó caer en una silla de tijera que crujió bajo su peso, se llevó las manos a los riñones y me dirigió una mirada desconfiada.

—¿Has venido a pedirme trabajo? —preguntó—. ¿O dinero?

Moví la cabeza de lado a lado y sonrió al verlo.

—Has hecho santamente —dijo.

Se levantó con esfuerzo, anduvo a paso cansino hasta la puerta del estudio, estuvo allí un rato y reapareció al cabo de poco con una bata abotonada hasta el cuello, que sólo dejaba a la vista unas piernas entecas y verdosas. Una peluca estropajosa precariamente sujeta por una diminuta peineta y unas sandalias con calcetines remataban la estampa por arriba y por abajo. En las manos llevaba un trapo, una escoba y un recogedor.

—He de adecentar el estudio antes de salir —dijo—. Por las mañanas graban unos curanderos. Acupuntura virtual, ya sabes... —Y entregándome la escoba y el recogedor añadió—: Si me ayudas, acabaremos antes.

Cuando hubimos acabado de limpiar, apagó las luces del estudio y antes de sentarse otra vez sacó del armario una fiambrera de aluminio.

—Siempre ceno antes de salir —me explicó—. Te invitaría a compartir la cena, pero para conservar el tipito llevo la dosis prescrita por la dietista y no puedo escatimar proteínas. Antes —siguió diciendo mientras con un tenedor de plástico blanco se llevaba a la boca unas hojas verdes con briznas de pollo— solía cenar en un bar de por aquí. Si tomabas una caña te dejaban llevar tu propia comida. Pero desde hace un tiempo este barrio se ha vuelto de lo más pretencioso, y ya no puedes sentarte a una mesa si no pides el menú degustación. De modo que hago mis comidas aquí mismo. Al salir me encargo de la limpieza de varias oficinas en esta misma zona. Estoy muy bien organizada, como ves. Así y todo, algunas noches no me acuesto antes de las tres. Y una ya no es aquella jovenzuela que se pasaba la noche de parranda y al día siguiente estaba como una flor.

Había acabado su parca cena. Resiguió con la lengua todos los rincones de la fiambrera, la miró con tristeza, le puso la tapa y la metió en la mochila.

—Yo tenía entendido que percibías una pensión sustanciosa —dije.

—No creas —contestó—. Durante los años de excedencia no coticé a la seguridad social. Cuando me reincorporé me encontré con un buen sueldo, no lo niego. Pero me comporté como lo que siempre he sido: una locuela. En vez de hacerme un plan de pensiones, como me aconsejaban los compañeros, me lo gasté todo en ropa y en zapatos. Con los zapatos me arruiné: como no los hay de tacón alto y de mi número, los encargué a medida en las mejores casas. La cirugía estética hace milagros, pero si calzas un 47 no hay especialista que te deje piececitos de geisha. Y al final, tanto dispendio no me sirvió para nada. Un buen día empecé con los dolores de espalda, el osteópata me prohibió los tacones de aguja y ahí está mi colección de Ferragamo y de Jimmy Choo, casi sin usar, porque de día iba de uniforme y sólo me vestía si salía de noche...

Estuvo un rato absorto en sus pensamientos y luego prosiguió en voz baja:

—Ahora ya no salgo. Aunque quisiera, no tendría tiempo, pero la verdad es que tampoco tengo ganas. El ambiente se ha enrarecido mucho. Ya no hay aquella finura de antes. Además, el programa de la tele me tiene muy ocupada. Y con él me siento realizada. Más vale así, porque me mato a currar y a cambio no me dan un puto euro. La cadena no me cobra por emitir el programa, pero el alquiler del estudio, los aparatos y el personal técnico, todo sale de mi bolsillo. Y otro tanto las facturas del agua y la electricidad, las reparaciones, y hasta esos brioches, que llevan aquí no sé cuántos meses, por si algún invitado se decide a venir en vez de darme plantón, como hace la mayoría. Unos informales. Eso es lo que son: unos informales.

—¿Y no has pensado en la posibilidad de dejarlo? —le pregunté.

—No puedo —contestó—. Si quieres saber la verdad, empecé con el programa como un negocio a corto plazo. Calculé que si tenía una buena cuota de audiencia me llovería la publicidad. Adidas, Chanel, BMW..., imagínate tú el dinero que eso supone. Pero entre que el share lo tengo por los suelos y la maldita crisis, aquí no se anuncia ni Dios. ¿Dejarlo, dices...? El deber me lo impide. Soy una mujer alocada, pero también un hombre de honor. Y el país me necesita.

Miró el reloj y dijo:

—Se hace tarde y me esperan unas cuantas horas de trajín. Acompáñame y seguiremos hablando por la calle. Aquí la luz la pago yo y el alumbrado público lo pagamos entre todos.

7

DESPEDIDA DE LA SEÑORITA WESTINGHOUSE

Anduvimos hacia la Diagonal por calles desoladas. Se había levantado un viento frío y húmedo que movía los arbolitos recién plantados en unos alcorques desproporcionados al tamaño actual de sus ocupantes, pero previsoramente dimensionados para cuando éstos se volvieran tronchudos y frondosos. La señorita Westinghouse caminaba despacio, su hablar era sofocado y a menudo se veía interrumpido por una tos seca.

A trancas y barrancas reanudó la historia que me había empezado a contar en el estudio: cómo empezó a trabajar en televisión por afán de lucro y también por lo mucho que le tiraba el mundo del espectáculo; cómo sus expectativas no se vieron satisfechas ni en un terreno ni en el otro, y cómo entonces, a fuerza de comentarla y enjuiciarla a ojo de buen cubero, se acabó dando cuenta de la gravedad de la situación.

—Por eso sigo —concluyó con un deje de fatiga en la voz—. Alguien tiene que decir las cosas claras. Alguien tiene que alzar su voz ante tanto dislate y tanta modernidad. ¡Nunca debimos abandonar la Edad Media! España se desmorona y nadie mueve un dedo para defenderla. Aún diré más: todos cooperan a su desmoronamiento. A sabiendas o por dejación, todos coadyuvan a debilitar y, en última instancia, a destruir el Estado. Inclusive el Estado participa en esta labor perniciosa. Actualmente en España no manda el Gobierno ni los partidos. Manda la quinta columna. Es un término militar. En boca de otro podría parecer pedante, pero yo lo puedo usar porque soy coronel. La quinta columna. Y ahora te pregunto: si metes una columna podrida en un cesto de manzanas, ¿qué ocurre? Lo de siempre: al cabo de poco todas las manzanas están agusanadas, y cuando las manzanas están agusanadas, la única solución razonable es ponerlas contra la pared y fusilarlas. De la misma manera, una nación o país, como prefieras llamarlo, si no tiene un Estado fuerte es como un cesto de manzanas o, mejor dicho, como un cesto de gusanos, antes de manzanas. Verás, en la China milenaria... no la fábrica de porquerías que es ahora, sino la China antigua, la milenaria, todos, empezando por el sabio Confucio, consideraban el Estado como la reencarnación del cielo en la tierra. El emperador también, pero para ellos el emperador era la reencarnación del Estado. No sé si me explico con claridad, a veces con las cosas de la China me hago un bollo. Bueno, pues como te digo, en la China, hace miles y miles de años, la burocracia era la columna vertebral del Estado. Si el Estado era la encarnación del cielo, la burocracia era la reencarnación del orden del universo, con sus galaxias y sus quásares. Los burócratas eran más importantes que los nobles o los sacerdotes o los militares. Los burócratas eran lo más. Y dentro de la burocracia, ¿cuál dirías que era el cargo más elevado? Seguramente me dirás: el ministro de Economía, o el jefe de las Fuerzas Armadas. Pues no, señor. ¿Cuál dirías tú que era el funcionario de más categoría?

—No caigo —admití.

—El verdugo —dijo él—. Y detrás del verdugo, en segundo lugar, el encargado de las velas en el palacio imperial. De las velas y las palmatorias.

—¿Y eso por qué? —pregunté.

—No tengo ni idea —contestó—. Lo leí en una revista de divulgación. Te lo cuento para que veas la importancia que le daban al Estado en la antigua China. Aún recuerdo que cuando anduvimos juntos, tú y yo, hace años, resolviendo aquel asunto de la chica asesinada, tú me enseñaste muchas cosas. Yo había rondado lo mío, pero en lo de investigar y descubrir al asesino estaba pez. Tú me explicaste la metodología y me revelaste algunos trucos del oficio. No me han servido para nada, pero me gustó aprenderlos. Ahora, en justa correspondencia, yo te explico lo del Estado con el ejemplo de la China y te muestro la manera de analizar la realidad política en toda su crudeza.

—Te lo agradezco —dije aprovechando la oportunidad que él mismo me brindaba—, precisamente de aquel asunto quería hablar contigo. El del asesinato de la señorita Baxter...

—¿De aquello? —dijo el coronel Westinghouse—. Yo lo daba por saldado. Al final averiguaron quién mató a la chica y te volvieron a encerrar. Carpetazo.

—En efecto, así ocurrió —convine—. Sin embargo, esta misma mañana, cuando iba camino de hacer un trabajillo que, por cierto, todavía está pendiente, tuve un encuentro fortuito. Con un perro. Y a raíz de ese encuentro, repentinamente, me vino todo a la memoria, con una precisión asombrosa. Y me percaté de que habían quedado muchos flecos y no pocos extremos dudosos. Luego, a lo largo del día, he ido hablando con gente, reflexionando y atando cabos. Creo que ya sé lo que pasó. Lo que pasó de verdad, no la versión oficial. Pero no tengo pruebas y para obtenerlas necesito ayuda. Tú conoces el caso, participaste en muchos episodios. Sólo tú me puedes ayudar. ¿Lo harás?

Se me quedó mirando con fijeza y parpadeó, como si no hubiera entendido el significado de mis palabras. Le pregunté si me había escuchado y movió la cabeza sin mudar su expresión desorientada.

—Entonces, ¿cuento contigo? —le pregunté.

—Sí, claro... —respondió entre carraspeos—. Pero ahora no. Ahora estoy muy ocupada. No me refiero a la limpieza de las oficinas, eso lo liquida una servidora en un periquete. Me refiero al programa. La situación es muy grave. El Estado, como te intentaba demostrar con el ejemplo de la China milenaria...

Calló de súbito, como si acabara de recordar algo, miró con inquietud hacia los cuatro puntos cardinales y luego añadió en un susurro:

—No nos quedemos aquí quietos. Ven, daremos un rodeo. Estas calles están muy solitarias y dos personas de edad, como nosotros, no estamos seguros. Hay bandas juveniles... Drogadictos, navajeros, enemigos del Estado. Y muchas noches el Bonito y su pandilla patrullan la zona y si me vieran, me atacarían. En dos ocasiones ya me han dado una buena paliza.

—¿Cuando dices el Bonito te refieres al chico con el que coqueteabas hace un rato? —pregunté.

—El mismo —contestó mientras caminaba a buen paso sin dejar de lanzar miradas temerosas.

Me puse a su lado y anduvimos un rato en silencio. Luego, al advertir mi incredulidad, añadió:

—Es un buen chaval. Como jefe, me respeta; como persona, me estima; como ideólogo, me admira; pero como travesti, me zurra. Cada cosa en su sitio. No le falta razón, no creas. A mí no me hace gracia, pero estoy totalmente de acuerdo con el principio y muchas veces me he pronunciado a favor del exterminio de los entes antisociales. En el nuevo Estado no hay lugar para tipos como yo. Ni como tú, dicho sea sin ánimo de ofender. Somos parásitos, gérmenes sociales, desechos humanos, residuos tóxicos de una época arcaica. En apariencia, inofensivos; en la práctica, peligrosos; no a largo sino a medio plazo, y si no, a corto, da lo mismo. El enemigo fuerte ataca de frente y combatirlo es fácil; el débil, en cambio, es tortuoso, se vale de argucias y contra él no hay defensa.

Como hablaba y corría al mismo tiempo, hubo de parar y apoyarse en un muro para recuperar el aliento. Le di unos golpecitos en la espalda.

—¿Estás bien? —le pregunté cuando se hubo serenado—. De la cabeza, quiero decir.

—Ya sé lo que piensas —dijo—. Y eso mismo prueba lo acertado de mi aseveración. En el mundo de la lógica, negar es afirmar. Pero la lógica está en desuso. El pensamiento está en desuso. Todo está en desuso. Sin que nos demos cuenta, bajo la apariencia de libertad de expresión, nos han borrado de la cabeza las pocas ideas sólidas que tuvimos en un tiempo. Ahora todo es ligereza y olvido. La novia de un torero y santa Teresa de Jesús valen lo mismo en el mercado de la frivolidad. Si hicieras una encuesta por la calle, ¿cuánta gente se acordaría de los Principios Fundamentales del Movimiento? ¿A dónde fue a parar la gratitud debida a aquel gran hombre? Mientras él vivió, toda la noche estaba encendida la lucecita de su despacho en la ventana de El Pardo. Entonces España dormía tranquila, sabiéndose vigilada y protegida. Y luego, cuando empezaban las rebajas en El Corte Inglés, el Caudillo siempre era el primero en cruzar la puerta, ilusionado... ¿A dónde han ido a parar los ideales?

Volvimos a andar. No estábamos lejos de la Diagonal, donde a aquella hora todavía circulaban vehículos. Pero el coronel Westinghouse, para no ser sorprendido, se empeñaba en dar rodeos y en adentrarse por oscuros y solitarios callejones.

—Te pondré un ejemplo de rabiosa actualidad —dijo cuando la fatiga y la tos le obligaron a efectuar una nueva parada—: A base de demagogia y paralogismos, los enemigos del Estado, empezando por sus propios representantes, han impuesto la tolerancia primero y luego el reconocimiento legal del matrimonio gay en casi todos los países civilizados. A mí no me viene mal, por supuesto. Si un día me caso, quiéralo Dios, será con un camionero, los dos vestidos de blanco. Ahora bien, para el Estado la institución es deletérea.

—¿De qué manera? —quise saber.

—Te lo explicaré y lo entenderás en seguida —dijo—. Desde tiempo inmemorial las mujeres han sido objeto de intercambio entre los pueblos o etnias. Eran lo que en inglés llamamos *commodities*. Así se hicieron las primeras alianzas entre clanes y tribus y más tarde, andando el tiempo, se fundó el Estado, sobre la base de la comunidad de intereses y el intercambio. Ahora, en cambio, por culpa del matrimonio gay, las provincias serán autosuficientes y proclamarán la independencia unilateral sin temor a las consecuencias.

Habíamos llegado ante un edificio alto, con fachada de cristal ahumado, en aquel momento falto de toda actividad. El coronel Westinghouse emitió el suspiro de alivio de quien por fin ha alcanzado sano y salvo su destino.

—Aquí es donde me gano el jornal —dijo señalando con mal disimulado orgullo el alto muro de incontables ventanales—. Hemos de separarnos. Me ha dado gusto volver a verte después de tantos años.

—Oye —le pregunté—, ¿de veras crees todo lo que dices?

—¡La duda ofende! —contestó llevándose los dedos al labio superior con la intención de atusarse el bigote que un rato antes había metido en el bolso—. Por supuesto que lo creo. Y si no, hago un gran esfuerzo para convencerme. ¿Qué era lo que me habías propuesto? Hablando y hablando se me ha ido de la cabeza.

—Déjalo estar —dije. Y para cambiar de tema, agregué—: Según veo, sigues practicando el inglés.

—Ah, no —respondió—. Lo dejé hace mucho. Hubo una época en que lo creía útil, incluso necesario para el progreso de esta ciudad. Pero de un tiempo a esta parte Barcelona se ha llenado de extranjeros. Mi inglés ya no les hace falta. Que lo hablen entre ellos.

Volvió a mirar el reloj con inquietud. Era evidente que no sabía cómo desembarazarse de mí para atender a sus obligaciones. Antes de irme, sin embargo, hice un último esfuerzo.

—Oye —le dije en el tono más amistoso posible—, ¿por qué no mandas todo esto a la porra? La limpieza, y también el programa. Mañana por la mañana, a primera hora, llamas por teléfono a quien corresponda y le dices que no volverás al trabajo. Ni a limpiar oficinas ni al estudio de televisión. Si te preguntan la causa de la renuncia, alegas que tu salud se resiente del esfuerzo, les dices que ya tienes una edad, que te han dado plaza en una residencia... Da lo mismo. Se tragarán cualquier excusa y, con la tasa de paro, en diez minutos encontrarán quien les limpie las oficinas. Y los de la tele estarán encantados de cancelar «La enseña» y sustituirte por una vidente. Como aquella amiga tuya, la que nos llevó a la corsetería del señor Muñoz. ¿Os seguís viendo? Me has de contar qué ha sido de aquel grupo de pimpollos.

Hice una pausa, por si la mención de sus compinches le animaba. Luego, viendo que no decía nada, añadí con renovados ánimos:

—Todo esto que te acabo de decir lo haces mañana. Ahora, en este preciso instante, te vienes conmigo y me ayudas a investigar. Lo pasaremos bien, ya lo verás. Mira, para empezar, nos llegamos a la Diagonal y en cuanto pase el tranvía, lo cogemos. Hace años que pusieron estos tranvías y todavía no los he probado. Son fantásticos, eh, nada que ver con aquellos trastos de cuando éramos niños y viajábamos colgados de los topes. Éstos son el último grito. ¡El Trambaix! El nombre es sugerente. Procaz, pero dinámico. Dicen que se va de maravilla. Como en avión, sólo que por la vía. Venga, hombre, anímate. Sólo el viaje en Trambaix ya merece la pena. Y luego, las pesquisas... Vete tú a saber lo que nos podemos encontrar.

Me interrumpió poniendo suavemente la mano en mi antebrazo y dijo:

—No sigas. Ya veo a dónde quieres ir a parar. Siempre fuiste bueno convenciendo a la gente, tienes este don. Por mi parte, me gustaría ir contigo, ayudarte y las pesquisas *and so on and so forth*. El problema es que yo ya no estoy para estos trotes. Camino y respiro con dificultad, oigo mal y lo que oigo lo entiendo al revés; a la mínima me aturullo. Más me vale seguir con mi vida tranquila y mi rutina. Además, a ti de poco te serviría mi colaboración. Ya no me sé mover por ambientes distintos al mío y ya no tengo amigos ni contactos en ninguna parte.

Señaló hacia la torre Agbar, iluminada de azul y granate, enmarcada por la luminiscencia de la ciudad que se extendía detrás, hacia el Ensanche.

—Esta ciudad —prosiguió— ya no es la mía. No sé si lo recuerdas: cuando nos conocimos, yo tenía una gran fe en el futuro de Barcelona. Nadie me hacía caso, muchos se reían de mí. No me importaba, yo estaba convencida y no daba mi brazo escultural a torcer. Hemos de abrirnos al mundo, decía, hemos de aprender inglés, hemos de adaptarnos al horario europeo. ¿Me equivoqué? En parte no y en parte sí. Hoy Barcelona es una ciudad trepidante, próspera, rebosante de glamour, la Meca del turismo internacional, salvo para los islamistas, que ya tienen su propia Meca. Pero las cosas no son como yo las había imaginado. Yo imaginaba una Barcelona, y ellos han hecho otra. No importa: el tiempo pasa y todo se lo lleva el viento, como dice Escarlata O'Hara levantando el nabo. Hace un momento me has preguntado por la peña de chicas que nos reuníamos en el bar Facundo Hernández. Pues sólo quedamos yo y la Tifus. Ella, entrando y saliendo de la UCI, y yo, ya me ves. El bar cerró y volvió a abrir convertido en una franquicia de tapas industriales. Donde estaba la Corsetería Muñoz ahora venden camisetas del Barça, abanicos de plástico y teléfonos móviles de dudosa procedencia. Si has ido últimamente por nuestros antiguos feudos, ya sabes a qué me refiero. Barcelona ha cambiado, como yo vaticinaba, pero para convertirse en la capital mundial del baratillo y de la idiocia. En esta Barcelona no hacemos ninguna falta.

Señaló a su alrededor y añadió:

—En este barrio estoy a gusto. Es un barrio de oficinas, más o menos tranquilo, aquí todo es nuevo e impersonal. Me he podido montar una nueva vida. De la anterior prefiero no saber nada. Limpiando despachos me gano la vida y haciendo «La enseña» me entretengo sin perder la dignidad: los exabruptos de un guardia civil retirado entran dentro de lo normal. En cambio, un travesti viejo haciendo el ganso es un espectáculo patético.

Hizo una larga pausa. Aguardé en silencio.

—Nacimos después de acabada la guerra —prosiguió— y nos moriremos antes de que empiece la próxima. ¿Qué más da lo que hagamos o digamos? Durante unos años los travestis y los colgados tuvimos la palabra. Pero no supimos construir nada serio ni duradero. Quizá es mejor así. Las grandes ideas son catastróficas y las pequeñas pasan pronto de moda, porque lo banal cansa y empacha. Al final, todo es agua de borrajas. Si volviera a nacer, no querría ser un ama de casa americana. Pero eso tampoco importa, porque no volveré a nacer.

Acabó el discurso con una especie de ronquido. Era inútil seguir hablando. Me dispuse a marcharme.

—Espera —dijo al advertir mi intención—. Antes de separarnos, te contaré una cosa. No se la he contado a nadie y me has de prometer que no lo repetirás. No me gustaría que circulara la anécdota y me tomaran por loca. Quiero decir loca mental.

Se lo prometí y prosiguió:

—Hace un tiempo... No sé, como unos dos años... se me apareció Jesucristo. En sueños. Es poco creíble, ya lo sé. Y más tratándose de Jesucristo. La Virgen es más aficionada a las apariciones, pero Él no, a Él es como si no le gustara salir de casa... Y encima, ¡aparecerse a una tarasca como yo! Sin embargo, así ocurrió. En sueños se me apareció Jesucristo. Al principio me costó reconocerlo, porque iba en bicicleta, vestido como una persona normal, con ropa sencilla, nada de marcas, sólo un letrerito en el manillar que decía INRI. Cuando me cercioré de que verdaderamente era Él y no un imitador, me quedé *flabbergasted*. No sabía qué hacer y menos qué decir. La escena duró apenas unos segundos. Jesucristo se limitó a pasar por mi lado, volvió la cara hacia mí, levantó las cejas una o dos veces sin dejar de pedalear y prosiguió su camino. Eso fue todo. Durante mucho tiempo estuve muy agitado tratando de esclarecer el significado de aquella visión insólita. Al final, después de darle muchas vueltas, llegué a una conclusión. ¿La quieres saber? Has prometido guardar el secreto, no lo olvides. Pues lo que quiso decirme Jesucristo fue esto: que los caminos del Señor no son nuestros caminos, qué le vamos a hacer.

8

LA ENTREGA

Lo del tranvía había sido un farol. A aquellas horas sólo circulaba el bus nocturno y no con excesiva frecuencia. Por suerte el N7 me venía como anillo al dedo. Lo esperé un rato apoyado contra un árbol. Cuando vino, subí y me senté. No viajaba nadie más. Suavemente el autobús recorría la noche y yo iba pensando. La conversación con la señorita Westinghouse me había dejado primero confundido y más tarde, consternado. Dejando aparte su actitud pesimista y el notorio deterioro de sus facultades, los razonamientos de la señorita Westinghouse no carecían de peso, por no decir de sabiduría. Como ella, yo gozaba de buena salud, pero también mi vida se aproximaba al ocaso. Salvo este detalle, en casi todo podía considerarme afortunado: tenía un trabajo seguro, en la medida en que su bajeza y su retribución lo ponían a cubierto de cualquier ajuste de personal, medida contable o programa de racionalización; tenía una vivienda que, por la misma causa, quedaba al margen de la especulación, y desde hacía bastante tiempo habían cesado mis desavenencias con las autoridades. En estas condiciones, tratar de resolver un enigma en el que no me iba ni nunca me fue nada y respecto del cual, habida cuenta de los años transcurridos, cualquier responsabilidad ya debía de haber prescrito, era por mi parte atrevimiento, necedad y petulancia.

La determinación de dejar las cosas como estaban y borrar de mi cabeza aquellas menudencias de un pasado en el que era preferible no escarbar serenó de tal modo mi espíritu que me quedé dormido y desperté con gran sobresalto cuando ya estábamos llegando a mi parada. Anduve hasta el número 128 de la calle Bailén y una vez allí pulsé con energía y persistencia el timbre del interfono correspondiente al segundo piso, puerta cuatro, hasta que, tras una larga espera, una voz pastosa y a la vez masculina preguntó quién iba.

—¿Casa de los señores Monturiol? —pregunté.

—Montpensier —me corrigió la voz de mi interlocutor.

—Da lo mismo —dije—. Soy del restaurante chino y traigo la comida que ustedes han encargado.

—Eso fue esta mañana —dijo él.

—Sí —reconocí—, ha habido un pequeño retraso. Hemos tenido varios grupos y la cocina estaba desbordada. Abra y le haré entrega de los envases.

—Llévese los envases y déjenos en paz —respondió el destinatario de los envases con un leve deje de impaciencia—. Son las dos y media y estamos acostados.

—Me hago cargo —dije sin alterarme—, pero yo he de hacer la entrega y ustedes me han de firmar el comprobante. Luego, si no les apetece, no se coman lo que han encargado. Eso a mí no me incumbe. Pero sin la firma y el DNI yo no vuelvo al trabajo. Podría tener problemas.

—Está bien, está bien —rezongó el cliente—. Suba, le firmo y se larga, ¿de acuerdo?

Unos segundos más tarde me abría la puerta de su domicilio un hombre de edad indefinida, rollizo, cargado de espaldas, con el pelo ralo y sombra de barba en los mofletes. Como iba descalzo y en pijama, me hizo entrar en un recibidor, pequeño y cuadrado. Cuando hube entrado, cerró la puerta y miró con ojos enrojecidos el papel cochambroso que había conseguido desenterrar del fondo de un bolsillo y le mostraba.

—Sólo me ha de echar una firma aquí —le dije. Y mientras él sacaba un rotulador de una mesita y estampaba la firma, añadí—: No se extrañe si el contenido de los envases no se corresponde exactamente con lo que ustedes han encargado. Ya le he contado el lío de la cocina. La ensalada de quinoa también es una especialidad de la casa. Está un poco mustia, pero si la pone en remojo toda la noche, a lo mejor mañana se deja comer.

El señor Monturiol no parecía prestar atención a mis palabras. Me devolvió el papel firmado y se me quedó mirando. Yo remoloneaba por si caía en la cuenta de que faltaba la propina.

—A ver si mañana —dije para ganar tiempo— las cosas andan mejor en el restaurante y los clientes quedan más satisfechos del servicio a domicilio. Lo de hoy ha sido una excepción.

—No se disculpe —dijo él, malinterpretando el propósito de mis palabras—. Como le he dicho, estaba acostado, pero no dormía. Desde hace tiempo padezco de insomnio crónico. Antes entornaba los párpados y me quedaba dormido como un angelito. Luego pasé una temporada en la cárcel y allí me sodomizaron no sé cuántas veces. Yo, por entonces, era joven y guapo y, sin serlo, tenía fama de gay. Cuando ingresé en prisión, la fama me había precedido y había lista de espera. Mientras estuve allí me sodomizaron los presos, los guardias y hasta los familiares que iban de visita. Yo no soy gay, pero tampoco opuse resistencia. Era una manera como otra cualquiera de ganar amigos. Al salir de la cárcel, me casé. Le conté a mi mujer lo sucedido y a ella le pareció bien. Ni eso ni nada se ha interpuesto nunca en nuestra relación. Pero al cabo de un tiempo, sin un motivo concreto, empecé a padecer de insomnio. Ni los somníferos ni nada me hacía dormir. Al final, siguiendo los consejos de mi mujer, fui a ver a un psiquiatra. Me tuvo tres años en psicoanálisis, me sacó un dineral y al final me dijo que tenía un trauma y que se me curaría conforme fuera perdiendo la memoria.

Del oscuro pasillo llegó el sonido de una puerta que se abría.

—¿Con quién hablas, cariño? —preguntó una voz femenina con un leve deje de alarma.

El señor Monturiol se volvió hacia el lugar de donde procedía la voz.

—No es nada —dijo—. Ha venido el señor del restaurante chino y le estaba contando lo de mi insomnio y de cómo contraje esta dolencia, si así se puede llamar.

De la oscuridad surgió una mujer en bata y chinelas. Para su edad tenía una bonita figura y sus facciones conservaban toda la belleza de la juventud, si bien ligeros retoques y la cara oleaginosa por haberse untado de crema antiarrugas le daban un aire distante y como de pastel. Me lanzó una breve y recelosa mirada y luego, haciendo como si no me hubiera visto, se dirigió a su marido.

—Cariño —le dijo en tono de afectuosa reconvención—, no deberías ir contando a todo el mundo lo de la cárcel. A la gente no le interesa y a ti no te sienta bien comerte el tarro.

—No veo por qué lo he de ocultar, tesoro —respondió él—. No tengo ningún motivo para avergonzarme de haber estado en la cárcel. Hoy en día todas las personas prominentes van a parar a la cárcel. Y encima, a mí me condenaron por un delito que no había cometido.

—Ya lo sé, cariño —insistió ella con exagerada mostración de estoicismo—. Lo hemos hablado muchas veces. Tú no hiciste nada reprensible, pero se celebró un juicio, se dictó sentencia y cumpliste condena en una institución penitenciaria. ¿Quién va a creer en tu inocencia?

—Yo —intervine en aquel punto sin poder contenerme—. Yo creo en su inocencia. El señor Monturiol no mató a la señorita Baxter. Ni yo tampoco. Y usted, señora Monturiol, lo sabe mejor que nadie, porque lo planeó todo desde el principio.

Un tenso silencio se hizo tras mis vibrantes palabras en el recibidor. Transcurridos unos segundos, ella lanzó a su marido una mirada de enojo y abrió la boca con evidente intención de reprenderle. Yo me adelanté.

—El señor Monturiol no me ha contado nada —dije— ni tenía motivo alguno para hacerlo, puesto que él no me ha reconocido, como yo no le he reconocido a él. Ha pasado mucho tiempo y los dos hemos cambiado. Usted, en cambio, si no se toma a mal mi osadía, está tan atractiva como cuando tuvimos nuestro primer y hasta hoy último encuentro en el paseo de San Gervasio. Ahora no culpe a su marido: si usted se hubiera quedado en la cama en vez de salir a fisgonear, yo habría escuchado las disquisiciones de un insomne sin prestarles atención y me habría ido por donde he venido. Del mismo modo, si esta misma mañana, cuando venía para aquí y me mordió un perro impertinente, hubiera sabido que los destinatarios de estos envases eran ustedes, no habría tardado tanto en traerlos ni me habría fatigado yendo de aquí para allá, ignorante de que el azar me deparaba esta chanza. Como es lógico, yo no podía prever que la casualidad pondría al alcance de mi mano la resolución del enredo. Pero, ya que así ha sido, y a pesar de lo avanzado de la hora, podríamos continuar esta conversación en un aposento más cómodo y, si puede ser, sentados.

El matrimonio Monturiol intercambió miradas, expresiones y ademanes y a continuación, incapaces de descifrar lo que querían decirse con aquel lenguaje mudo, dijo él:

—Está bien. Pasemos al living.

Por un corto pasillo desembocamos en una pieza de regulares dimensiones, confortable, que bien habría podido denominarse biblioteca si en aquella casa hubiera entrado alguna vez un libro. Me senté en una silla y ellos en un elegante sofá Ektorp de dos plazas, desde el cual, muy juntos y con las manos enlazadas en señal de afecto y mutuo apoyo, me miraban en silencio, con ojos cargados de somnolencia y suspicacia.

—Quede claro ante todo —dije para aliviar la tensión reinante— que mi intención es puramente cognitiva. Hace unos años nuestros caminos se cruzaron y de ello se siguieron trances penosos para mí e infortunios para ustedes. Si de éstos fui causa indirecta, lo lamento, si bien nunca reconoceré culpa en algo que no busqué ni quise. Por si todavía no han caído, yo soy el antaño presunto asesino de una aspirante a modelo llamada Olga Baxter. Usted, señor Monturiol, es el asesino confeso y convicto de dicha señorita. Y usted, señora Monturiol, no es otra que la señorita Baxter. Corríjanme si me equivoco.

—Sólo en un punto —dijo él—. Mi actual apellido es Montpensier. Me lo cambié al salir de la cárcel para empezar una nueva vida.

—Es igual —dije yo—, lo único que importa es que en la época de los sucesos mencionados, usted regentaba la agencia de modelos Llewelyn de París, en la que trabajaba la señorita Baxter. Va, cuéntenme de una vez lo que pasó. Mis pesquisas me han llevado a reconstruir los hechos y elaborar una teoría sobre la verdad de lo ocurrido, pero su corroboración y la elucidación de algunos puntos oscuros contribuiría grandemente a mi tranquilidad espiritual.

—No veo inconveniente en ello —dijo él.

—Ni por mi parte lo hay —dijo ella.

Acto seguido, entre los dos desgranaron la historia que a continuación resumo, procurando obviar lo que el lector atento y perspicaz ya sabe.

9

EL ASESINATO DE LA SEÑORITA BAXTER

De muy joven la señorita Baxter había emigrado a
Barcelona desde su ciudad natal (Figueras) para probar
fortuna en el mundo de la moda y la publicidad. Pasó el
tiempo, no triunfó y un buen día se encontró casi sin trabajo ni esperanzas de conseguirlo y con los recursos eco-
nómicos agotados. En el edificio donde acababa de alqui-
lar un piso vivía un tal señor Larramendi, con quien ella
había mantenido desde el principio un trato meramente
superficial y de cuya rápida y notoria degeneración había
sido testigo. En una ocasión, el señor Larramendi, con el
entendimiento alterado, le hizo unas atropelladas revela-
ciones acerca de una misteriosa pero muy lucrativa operación clandestina y la promesa de aprovechar ésta para
brindarle ayuda. Como la promesa no se tradujo en nada,
la señorita Baxter, con el atrevimiento propio de la deses-
peración, decidió utilizar las confidencias de su vecino para
ganar dinero por cuenta propia. Con esta finalidad, abor-
dó resueltamente a los conductores de un coche negro,
del cual todas las noches a altas horas salía el señor Larra-

mendi, unas veces andando y otras rodando, y les dijo que estaba al corriente de las actividades de aquél y que las filtraría a la prensa si no se retribuía su silencio con diez millones de pesetas, cantidad que estaba dispuesta a negociar, pero no a bajar de los cinco millones. Los conductores del coche negro le respondieron que como ellos sólo eran unos mandados, transmitirían su propuesta a la persona adecuada y sin duda en breve recibiría cumplida respuesta.

Al cabo de dos días, cuando la señorita Baxter salía de hacer unas compras en una tienda del paseo de Gracia, el coche negro se detuvo a su lado y el conductor la invitó a subir. La señorita Baxter subió al coche y se encontró con dos caballeros de porte distinguido que la invitaron a sentarse entre ambos.

—No tema nada —dijo uno de los caballeros con suavidad y cortesía—. A nuestra edad y con nuestra esmerada educación, no aprovecharemos la ocasión para echarle un tiento.

A la señorita Baxter no le preocupaba tanto esta posibilidad como el hecho de que los dos caballeros ocultaran sus rostros bajo sendas caretas de Pina Bausch. El caballero que había hablado, advirtiendo su inquietud, le pidió disculpas por las caretas. Como todavía faltaba mucho para el carnaval, no habían encontrado otras más normales y se habían procurado aquéllas, sobrantes del Festival Grec del año anterior, a cuya financiación ellos habían contribuido con generosidad.

—En nuestro grupo —dijo el segundo caballero—, quién más, quién menos, todo el mundo tiene una fundación.

—Te lo contamos —dijo el primer caballero— para dejar claro cuánto nos preocupamos por la cultura de

Barcelona. Un interés que se extiende a otras áreas, además de la cultura, pues tenemos mucha fe y mucha esperanza en el futuro de nuestra amada ciudad.

—La Barcelona que estamos construyendo —dijo el segundo caballero— es para vosotros, los jóvenes, especialmente para jóvenes tan espabilados como tú. Nosotros ya somos viejos. Con agónico esfuerzo nos aguantamos las pertinaces ventosidades. Y no siempre lo conseguimos —añadió uniendo la acción a la palabra.

—Sería una lástima —dijo el primer caballero abriendo una rendija la ventanilla y volviéndola a cerrar en cuanto hubo entrado una bocanada de aire fresco— que tanta ilusión y tanto esfuerzo desinteresado se vieran frustrados por un pequeño malentendido.

Mientras esta conversación tenía lugar, el coche había ido circulando por el paseo de Gracia, había girado por el lateral de la Diagonal, tomado la Vía Augusta primero y luego la calle Balmes hasta desembocar en el paseo de San Gervasio y finalmente detenerse frente al número 15 de la calle de Sant Hilari. Antes de abrir la puerta, el primer caballero sacó una cartera de piel de cocodrilo y de ella un billete de cinco mil pesetas, que entregó a la señorita Baxter.

—Esto —le dijo— es a cuenta. Del resto hablaremos más adelante. Tu propuesta es razonable, pero no podemos tomar ninguna decisión al respecto sin consultar antes con los demás interesados, y esto no es fácil: todos viajan constantemente y tienen muchos compromisos. No te impacientes. Te tendremos al corriente de la negociación. Como ves, sabemos dónde vives y estamos al corriente de todos tus movimientos.

En estos términos, a un tiempo halagüeños y ominosos, concluyó el primer encuentro de la señorita Baxter con los caballeros de APALF, la sociedad secreta de la que ella todavía no sabía nada, pero a la que acababa de ligar su suerte. Los siguientes encuentros se produjeron con breves intervalos y pequeñas variantes. En todas las ocasiones el coche era el mismo, así como sus conductores, pero el ocupante del asiento trasero era un caballero solo y siempre distinto, por más que utilizara la misma máscara para ocultar su identidad. Los sucesivos caballeros reiteraron su buena disposición con respecto al dinero tan pronto se hubieran resuelto los problemas internos de la organización, tales como el informe del tesorero, el prorrateo de la suma total, etcétera. El encuentro terminaba con la entrega de un dinero a cuenta, si bien esta suma era cada vez menor. El último tuvo la desfachatez de preguntarle si llevaba cambio de mil y sólo al responderle ella secamente que no, se avino a darle el billete con un suspiro de dolor. Por lo demás, el trato fue siempre correcto y a menudo afectuoso. Como la señorita Baxter era mona, simpática y lista, los caballeros aprovechaban los paseos en coche para charlar con ella, contarle sus aciertos y desaciertos en el trabajo, sus proyectos, sus desavenencias conyugales, sus problemas con los hijos y cosas parecidas. Uno de ellos experimentó tal emoción al relatar la muerte de su mascota, un infortunado loro, que tuvo que quitarse momentáneamente la careta para sonarse y restañar las lágrimas. Al final, la señorita Baxter llegó a la conclusión de que aquellos caballeros, no obstante sus promesas, no tenían intención real de pagarle los millones del chantaje y con sus paseos en coche no hacían más que ganar tiempo y disfrutar de su compañía, tanto más grata cuanto que cada uno de ellos disfrutaba por turno de la atención, la discreción y el tiempo de una bella y comprensiva modelo con el dinero de todos.

En este punto interrumpió la señora Montpensier su relato y cedió la palabra a su marido, el cual la continuó donde ella la había dejado.

Una tarde, en la época a la que se retrotraían los hechos, al salir de la agencia de modelos, ya oscurecido, el señor Llewelyn fue invitado por un fornido pero correcto chófer a entrar en un coche negro estacionado a horcajadas en la acera y en cuyo interior, según dijo el fornido chófer con una mezcla de deferencia y firmeza, un caballero deseaba hacerle una proposición. El señor Llewelyn se apresuró a responder que él no era gay; el fornido chófer le aseguró que se trataba de otra cosa, y el señor Llewelyn, no viendo razón para persistir en su negativa, entró en el coche. Allí un caballero de cierta edad, trajeado y enmascarado, le estrechó la mano, le preguntó qué tal estaba y a renglón seguido le expuso lo siguiente: él y otros caballeros, todos personas del más alto nivel económico y social, estaban teniendo dificultades por causa de una joven, por lo demás encantadora, afiliada a la agencia de modelos del señor Llewelyn, motivo por el cual, los caballeros afectados por la conducta importuna y recalcitrante de dicha joven, recababan la mediación del señor Llewelyn en aquel desagradable asunto, mediación por la cual, naturalmente, el señor Llewelyn sería recompensado en forma proporcional a la magnitud del problema. El señor Llewelyn respondió que, como director de la agencia, una intervención de aquella naturaleza no entraba en sus atribuciones; sin embargo, por consideración a la categoría de su interlocutor y a título excepcional, si éste le explicaba la índole del problema y le revelaba el nombre de la causante, estaba dispuesto a tener con ella una conversación encaminada a hacerla entrar en razón.

—Le agradezco su gentileza y su disponibilidad —dijo el caballero enmascarado—, pero yo no me refería a este tipo de intervención, sino a zanjar el problema de un modo radical y definitivo. La joven en cuestión es tozuda e intransigente.

—Jo, jo —rio el señor Llewelyn con su habitual bonhomía—, no pretenderá que la mate.

—Da gusto tratar con personas inteligentes, que entienden a la primera lo que se les pide —dijo el caballero.

—¿Me toma el pelo? —exclamó el señor Llewelyn algo incómodo.

—Señor Llewelyn —contestó el caballero con un deje de impaciencia—, mi tiempo es valioso. Dado mi estatus social, hasta el tiempo de mi chófer es valioso. Por nada del mundo lo perdería bromeando con el director de una agencia de modelos en bancarrota.

—¡Eh, oiga usted! —protestó el señor Llewelyn—. ¡Mi agencia no está en bancarrota!

—Lo estará si no se muestra más servicial —replicó el caballero—. Conocemos al dedillo su contabilidad y la cuantía de los créditos pendientes. Es más, nosotros somos sus principales acreedores. Espero haberme expresado con claridad. Comprendo su reluctancia. A nosotros tampoco nos complace el procedimiento. No recurriríamos a él de haber otra salida y no obramos con precipitación. La clase empresarial catalana es laboriosa y emprendedora, pero algo remisa a la hora de posicionarse. La decisión ha sido largamente debatida y adoptada por votación. Tampoco nos agrada haber de recurrir a usted. Pero entre sus muchas carencias, Barcelona no cuenta en la actualidad con un servicio de eliminación de personas que aúne eficacia, limpieza, prontitud e impunidad a un precio razonable, como tienen las urbes merecedoras de este nombre. Señor Llewelyn, no hay más que hablar. Tiene cuarenta y ocho horas para..., ¿cómo le diría?... para desbloquear nuestra delicada situación.

—No lo he hecho nunca —gimió el señor Llewelyn—. No sabría cómo empezar. Ni cómo tener una coartada. Me descubrirán y me condenarán.

—Querer es poder, señor Llewelyn —adujo el caballero—. Ya encontrará la manera. Las modelos de la agencia confían en usted. Eso le da una gran ventaja. Y no tenga miedo de las consecuencias. Tenemos contactos en todas partes y elementos destacados de la policía están al corriente de nuestros planes. Usted haga su parte y otros se encargarán de encontrar un culpable verosímil. Avísenos cuando esté listo para actuar, llame al número apuntado en este papel, deje el recado en el contestador, cómase el papel y cumpla su cometido. Nosotros pondremos en marcha el mecanismo absolutorio. Si todo sale como ha de salir, le gratificaremos adecuadamente. Y ahora, apéese. Tengo prisa.

Pese a su aturdimiento, el señor Llewelyn acertó a preguntar, antes de despedirse, el nombre de la joven a la que había de eliminar. El caballero se inclinó para susurrar a su oído el nombre de la señorita Baxter y aprovechó el desplazamiento para pellizcar en las nalgas al señor Llewelyn.

10

EN LA PEDRERA

Conmovido por el recuerdo de aquella espeluznante disyuntiva, el señor Montpensier interrumpió la narración para enjugarse el sudor de la frente con la manga del pijama y su esposa aprovechó la pausa para ir a buscar un chal a fin de protegerse del relente. Tras este intermedio, prosiguió su relato el señor Montpensier.

Toda la noche la pasó en vela el entonces señor Llewelyn, urdiendo y descartando planes, a cual más intrincado y execrable. Llegado el día, acudió como de costumbre a la agencia y dijo a la recepcionista que convocara a la señorita Baxter a su presencia tan pronto ésta se personara en el local. Cuando la tuvo delante, le dijo:

—Es parte de mi trabajo velar por la formación de las modelos de la agencia, no sólo en lo concerniente a su apariencia física, sino en todos los campos del saber. El saber no ocupa lugar y, sabiamente administrado, causa buena impresión a los clientes. De modo que hoy tú y yo haremos una actividad cultural.

Salieron a la Diagonal y bajaron caminando chano chano por el paseo de Gracia. Hacía una bonita mañana de primavera. Al llegar delante de la Pedrera, se detuvieron.

—He aquí —dijo el señor Llewelyn— un edificio emblemático. Lo construyó Antoni Gaudí, natural de Reus.

La señorita Baxter contempló el edificio con la cabeza ladeada y dijo:

—En Figueras, esto mismo, en más pequeño, lo hacen las vacas.

El señor Llewelyn compró dos entradas para subir a la azotea, recién abierta al público. Como en aquellos años Gaudí gozaba de poco predicamento entre los barceloneses y era un perfecto desconocido para los forasteros que recalaban en Barcelona, el señor Llewelyn y la señorita Baxter estaban solos en la azotea. La señorita Baxter se asomó a la barandilla para ver a la gente deambular por el paseo de Gracia en una y otra dirección. El señor Llewelyn se colocó a su lado y se quedó allí, sumido en un lúgubre mutismo. Al cabo de un rato, la señorita Baxter le preguntó si ya se podían ir, porque se había empapado de cultura y se estaba aburriendo como un hongo.

—Todavía no —respondió el señor Llewelyn con voz ronca—. A decir verdad, la arquitectura de Gaudí no es el motivo principal de nuestra visita. En realidad, te he traído a este lugar porque ayer unos señores me encargaron que te asesinara simulando un accidente.

Lo de simular un accidente no lo había dicho el caballero enmascarado, pero el señor Llewelyn añadió el detalle para no parecer inexperto en un terreno tan especializado como aquél. La señorita Baxter, dando por sentado que a continuación él la precipitaría al vacío de un empellón, se alejó corriendo del borde de la azotea y se abrazó a una de las chimeneas.

—¡Si te acercas —advirtió—, echaré un grito!

—Sería inútil —dijo el señor Llewelyn dando unos pasos hacia donde estaba la señorita Baxter—. Estamos solos y en la calle, entre las motos y los autobuses, hay un ruido que te cagas. Precisamente —añadió abarcando la azotea con un gesto grandilocuente— he elegido este sitio para poder hablar sin ser interrumpidos y sin ser oídos. Podrían haber instalado micrófonos en la agencia.

Avanzó un poco más y se detuvo nuevamente a escasa distancia de la señorita Baxter, que seguía agarrada a la chimenea. En tono pausado, el señor Llewelyn le refirió la conversación de la víspera y la señorita Baxter, que reconoció de inmediato el coche negro y al conductor y al caballero y comprendió que lo que decía el señor Llewelyn no era una fábula, se echó a llorar con desconsuelo.

—¡Nunca lo habría imaginado! —iba diciendo entre sollozos—. ¡Parecían unos yayos tan simpáticos! He sido una tonta y una ilusa y me doy cuenta demasiado tarde. ¿De verdad me vas a matar?

El señor Llewelyn movió la cabeza de lado a lado con serena tristeza. No, dijo. Desde su llegada a la agencia, la señorita Baxter había captado su interés y concitado su afición. Era guapa como las demás modelos, pero a esta cualidad unía una inteligencia, una vivacidad y un talante alegre y afectuoso que la diferenciaban del resto de sus compañeras. A fuer de sincero, el señor Llewelyn creía estar enamorado de la señorita Baxter y, sin llegar al extremo de manifestar el verdadero alcance de sus sentimientos, le había hecho repetidas insinuaciones en tal sentido, de las que ella no se había percatado, tal vez por creer que él era gay.

—De mí —dijo el señor Llewelyn como colofón a aquella declaración extemporánea— no tienes nada que temer. Al contrario. Pero eso no resuelve la cuestión. Si yo no cumplo lo acordado con el caballero del coche negro, enviarán a otro, y éste no dejará que el amor se interponga en su camino.

La señorita Baxter se dejó resbalar por el fuste de la chimenea hasta sentarse en el suelo.

—Quizá lo más sensato —dijo el señor Llewelyn poniéndose en cuclillas— sería que te fueras de Barcelona y no regresaras en una buena temporada, por no decir jamás.

—¿Y a dónde iré? —respondió ella en un susurro—. A Figueras no pienso volver ni atada y para ir a otra parte, estoy sin blanca. Ni para un billete de tren me llegan los ahorros.

Los dos permanecieron un rato sin moverse ni decir nada. De pronto, la señorita Baxter se pasó la mano por las mejillas para limpiar el reguero de lágrimas y maquillaje que las surcaba, se levantó y dijo en tono resuelto:

—Hemos de encontrar otra solución.

—Sí, pero ¿cuál? —dijo el señor Llewelyn con desaliento—. A la policía no podemos acudir. No conocemos la identidad de esos caballeros y, para postre, algunos policías están compinchados con ellos. En cuanto a mí, con lo de la Pedrera ya se me han agotado las ideas.

Sin hacerle caso, la señorita Baxter se puso a pasear por la azotea, absorta en cábalas. Después de un rato, volvió junto al señor Llewelyn.

—Ya lo tengo —anunció—. Te lo iré contando sobre la marcha. De momento, salgamos de este lugar, que es de un feo que da grima, y empecemos a trabajar: el tiempo apremia.

Antes de abandonar la azotea y aprovechando la soledad, la señorita Baxter hizo unas carantoñas al señor Llewelyn, con las que se aseguró su adhesión y su obediencia. El resto del día lo dedicaron a los preparativos.

La señorita Baxter fue a su piso, metió en una bolsa todo cuanto pudiera dar alguna pista sobre su procedencia, su filiación o su paradero, salió procurando no avivar la impertinente curiosidad del conserje, tomó un autobús 17, caminó hasta la escollera, agregó un ladrillo al contenido de la bolsa y la arrojó al mar. Hecho esto, regresó a su piso y desde allí llamó al subteniente Asmarats y le dijo que un tipo sospechoso la había estado siguiendo. Por su parte, el señor Llewelyn fue al encuentro de un antiguo compañero de instituto que trabajaba como practicante en un dispensario y le dijo:

—Juanito, me has de hacer un favor.

—Tú dirás —dijo Juanito.

—Mañana a las nueve en punto hemos de recoger a una modelo en una ambulancia.

—¿Qué le pasa?

—Nada. Pero la podrás auscultar.

El condiscípulo del señor Llewelyn se avino al trato y ambos se despidieron hasta la mañana siguiente. Esa misma noche el señor Llewelyn llamó al número que le había anotado el caballero del coche negro. Respondió un contestador. Al oír la señal, el señor Llewelyn dejó este recado:

—Buenas noches. Soy el asesino de la señorita Baxter. Todo a punto. Puede decir a su amigo el policía que se apersone en el domicilio de la víctima mañana a las diez en punto. A esa hora —añadió en un susurro— el pez estará en la besuguera. Ya me entiende.

A las diez menos cinco del día de autos, la ambulancia estaba estacionada en la plaza John Fitzgerald Kennedy. De ella bajó el señor Llewelyn, fue a una cabina telefónica situada en el paseo de San Gervasio y llamó al señor Larramendi, cuyo número le había facilitado la señorita Baxter. Al instante respondió el señor Larramendi.

—Asómate a la ventana —dijo el señor Llewelyn poniendo voz de malo— y verás a tu amiguita en el jardín. Si te vas de la lengua, tú serás el siguiente.

Quiso rematar el mensaje con una risa sarcástica, pero no le salió. Volvió a subir a la ambulancia y su condiscípulo arrancó, haciendo ulular la sirena. Cuando la ambulancia se detuvo ante el número 15 de la calle de Sant Hilari, la señorita Baxter llevaba un rato tumbada entre los arbustos del jardín y el señor Larramendi corría en calzoncillos, calle arriba, calle abajo, gritando como un poseso. Dada la mala fama que se había granjeado con su conducta desaforada, los viandantes fingían no verlo ni oír sus dramáticas llamadas de auxilio. Sin apagar la sirena para incrementar la confusión, el señor Llewelyn y su antiguo condiscípulo, Juanito, bajaron de la ambulancia, con aspavientos de urgencia cargaron el cuerpo de la señorita Baxter en una camilla, la metieron en la ambulancia y salieron pitando. Por el otro extremo de la calle entraba un coche patrulla, del que se apearon el comisario Flores y su ayudante, el subteniente Asmarats. Blandiendo la chapa y lanzando bramidos, el comisario Flores increpó, amenazó y avasalló a varios testigos presenciales, repartió citaciones, metió miedo a todo el vecindario y se fue. A las diez y media, los fugitivos devolvían la ambulancia al garaje del dispensario, de donde la habían birlado. El señor Llewelyn dio las gracias más efusivas a su antiguo condiscípulo y a continuación la señorita Baxter se lo cameló para que firmara un certificado de defunción y se comprometiera a llevarlo al registro civil. En total, la operación había durado menos de una hora y había sido ejecutada sin un fallo.

—Sin embargo —dije yo cuando muchos años más tarde la señorita Baxter hubo concluido el recuento de lo sucedido—, al día siguiente usted volvió a la escena del crimen, con grave riesgo de ser descubierta.

—Más habría arriesgado si me hubiera quedado cruzada de brazos —dijo ella—. Volví porque quería cerciorarme de que el engaño había funcionado. Sólo estábamos en el secreto el pobre Llewelyn y yo, y no podía permitir que mi héroe corriera nuevos peligros por culpa de mi insensatez y mi codicia.

Al día siguiente al homicidio simulado, la señorita Baxter se puso una peluca, prescindió del maquillaje y el pintalabios, regresó a la calle de Sant Hilari y, sin ser reconocida por nadie, se mezcló con los curiosos que habían acudido al lugar atraídos por la noticia del crimen. A prudencial distancia pudo presenciar mi llegada a la casa, seguida de la fulgurante actuación de la señorita Westinghouse en el papel de tía de la difunta. De esta doble intervención la señorita Baxter sacó las conclusiones adecuadas y decidió utilizarnos.

—¿Para qué? —pregunté—. No veo qué interés teníamos para usted.

—Desde el punto de vista humano, ninguno —respondió—. Sin embargo, por tu pinta y la de aquel espantajo y por vuestro modo de proceder, era obvio que no erais policías ni periodistas. Y también que estabais interesados en el caso. Entonces se me ocurrió que tal vez con mi ayuda podríais poner en evidencia a los instigadores del asesinato, quitármelos de encima y darles su merecido. Eso sí todo iba bien. Y si iba mal, la atención general se desviaría hacia vosotros. Naturalmente, yo no podía saber que la policía ya había fabricado un presunto asesino y que ese presunto asesino eras tú. Ahí la lie un poco.

Con su vivo ingenio, trazó un plan y lo puso en práctica sin tardanza. Mientras nosotros nos entreteníamos registrando su antiguo domicilio, la señorita Baxter fue al Sporting Club Santa Clara, del que era socia, escribió con tinta invisible el mensaje codificado que había de ponerme sobre la pista de APALF, lo metió en su taquilla y regresó a tiempo para abordarnos bajo la falsa identidad de Normalina Callado, amiga íntima de la difunta señorita Baxter, de la que, confiada en su capacidad de transformación, llegó a mostrarnos una fotografía.

—Hay dos cosas que no entiendo —le interrumpí para preguntar—. La primera es de dónde sacó la tinta invisible para escribir la nota que encontré en la taquilla. La segunda es cómo pudo hacer todo eso tan deprisa. De la calle de Sant Hilari al Sporting Club Santa Clara hay un buen trecho.

—De niña —respondió— había oído contar a mi abuela que en su pueblo, en épocas de penuria, para ahorrar tinta escribían con orina. No deja señal sobre el papel hasta que se calienta. Así se mandaban cartas que luego, leídas al amor del fuego, revelaban su contenido. Era muy romántico. Ahora con el chateo se ha perdido la costumbre pero yo conservaba el recuerdo. Por supuesto, en un vestuario colectivo el referido material de escritura no escasea. Los usuarios se mean por todas partes. En cuanto a lo de ir y venir deprisa, no hay misterio: yo entonces tenía un Vespino.

En el silencio de la noche se oyeron varias campanadas. No las conté, pero no debía de faltar mucho para el despuntar del día. Estaba cargada la atmósfera en el living de los Montpensier.

—Haré un té verde —dijo la señorita Baxter.

Se fue y la oímos trastear en la cocina. A solas con el señor Montpensier, le pregunté lo que me había intrigado todo el día.

—¿Por qué se entregó a la policía? ¿Por qué confesó haber asesinado a la señorita Baxter?

El señor Montpensier vaciló antes de contestar. Luego echó el cuerpo hacia delante y habló muy bajo, para ser oído por mí únicamente.

—El problema de mi mujer, persona maravillosa y dotada de grandes virtudes —dijo— es que se cree muy lista. Lo es, por supuesto. De nosotros dos, ella es con mucho la más lista. Pero nunca entendió que ser listo de verdad no consiste tanto en ser listo como en no hacer tonterías. Y ella las hacía a punta pala. Si se hubiera quedado quieta, como yo le aconsejaba, no habría pasado nada. Muerta oficialmente la señorita Baxter a manos de un loco sin móvil aparente, no había razón para seguir escarbando en aquel oscuro asunto. La policía era la primera interesada en dejar el agua correr. En cambio, el involucrarles a ustedes en el caso y aportar nuevas pistas generó nuevas pesquisas y los señores de APALF se pusieron otra vez nerviosos. El colmo fue lo del señor Larramendi.

—¿Qué pasó con el señor Larramendi? —pregunté.

—Ya lo sabe —dijo él—. Decidieron liquidarlo, como a la señorita Baxter, para hacer desaparecer las huellas de sus actividades fraudulentas. A la señorita Baxter este segundo asesinato le parecía mal. Yo le decía: Déjalo estar, mujer, no es asunto tuyo. Si le matan, le matan. Él se lo ha buscado. Pero ella, con todos sus aires de mujer dura y liviana, en el fondo es un pedacito de turrón. El señor Larramendi había intentado ayudarla cuando la supo en apuros. Y aunque lo de la ayuda le salió mal, ella, en vez de enviarlo a la porra, sintió pena por el señor Larramendi al verlo tan desvalido. A las mujeres les gustan los mentecatos. De modo que una noche acudió a prevenirle. Él creyó habérselas con un espectro y de poco se infarta. Al final lo salvó un ninja, según oí decir en la cárcel.

11

EL INSIDIOSO DEVENIR DE LAS COSAS

Calló el señor Llewelyn al ver entrar a su esposa con una bandeja de madera cargada de enseres. Solícito la ayudó a poner la bandeja sobre la mesita, delante del sofá, mientras ella, que había oído la última palabra del capítulo anterior, le reconvenía.

—Cariño, me voy un instante y ya estás otra vez con el dichoso rollo de la cárcel.

—No, tesoro —negó él blandamente—. De lo mío en la cárcel ya le conté lo esencial hace un rato, y los detalles serían repetitivos.

En la bandeja había una tetera, un azucarero, tres tazas, tres cucharillas y un plato desportillado con media docena de galletas.

—La leche estaba cuajada —dijo la señorita Baxter obsequiándome con su seductora sonrisa—. En cambio, he encontrado unas cuantas galletas en la despensa. Sin gafas no sé si estos puntitos negros son semillas de ajonjolí o carcoma. Pruébalas.

Agradecí tantas atenciones y retomé el diálogo con el

señor Llewelyn en el punto en que lo habíamos dejado.

—Su marido me estaba contando...

El señor Llewelyn me interrumpió con viveza.

—Le estaba contando la triste historia del señor Larramendi —dijo lanzándome un guiño solapado.

—¡Ah, sí! —suspiró la señorita Baxter—. ¡Pobre señor Larramendi!

Comprendí que debía callar y callado escuché el lamentable final del señor Larramendi, de quien había dejado de tener noticias después de ser supuestamente secuestrado por un ninja y de recibir yo de él la carta incriminatoria que acto seguido lanzó por los aires el comisario Flores.

Tras su desaparición y su posterior y breve reaparición, el señor Larramendi desapareció de nuevo sin que nadie se tomara la molestia de indagar su paradero. Al cabo de un año, igualmente sin que nadie supiera de dónde salía y qué había hecho en el ínterin, el señor Larramendi se reincorporó a la vida pública ocupando un cargo intermedio en la oficina recién creada por el Ayuntamiento para promover la candidatura olímpica de Barcelona. Al principio, el nombramiento del señor Larramendi fue mal acogido por sus compañeros, pues, a diferencia de lo que ocurría con los demás, de él no se sabía quién le había enchufado. Con el paso de los meses, el señor Larramendi se fue ganando si no el aprecio, al menos la tolerancia general, porque, además de ser muy competente en lo suyo, siempre estaba dispuesto a corregir las pifias ajenas e incluso a hacer el trabajo de los menos diligentes y, por si eso fuera poco, de cuando en cuando, en un gesto de insólito desprendimiento, invitaba a todos los miembros del departamento, cuyo número para entonces ascendía ya a doscientos treinta funciona-

rios de plantilla, a comer a un chiringuito de cañas y ura-
lita ubicado contra toda norma legal en un desmonte
donde más tarde se alzaría el Pabellón Sant Jordi. En el
chiringuito se comía fatal, la música era insoportable y
el dueño, un asiático de aspecto fiero, los trataba a puntapiés, pero a todo aquello nadie ponía pegas porque la
cuenta corría a cargo del señor Larramendi.

En el verano de 1992, cuando faltaba poco para la
inauguración de los Juegos Olímpicos y los componentes de la oficina de promoción de la candidatura estaban
siendo redistribuidos en otros sectores de la administración y el señor Larramendi gozaba de unas vacaciones
hasta tanto no se le comunicara su nombramiento, bien
en el cuerpo de barrenderos, bien como rector de la Uni-
versidad Autónoma, según la vacante que se produjera
primero, fue a bañarse a Tamariu, pintoresca cala que
frecuentaba desde que se había comprado un diminuto
apartamento en Palafrugell. Remojándose en el mar, a
escasos metros de la arena, se le enredó en el tobillo el
extremo de una soga que colgaba de un yate. Mientras
trataba de liberarse de la soga, el yate zarpó de improviso,
llevándose a rastras al señor Larramendi. El ruido del
motor impidió a los tripulantes del yate oír primero las
airadas protestas y luego los gritos de socorro que aquél
profería. Cuando se dieron cuenta de que llevaban un ba-
ñista a remolque, ya estaban más cerca de Mallorca que
del punto de partida, por lo que decidieron continuar la
travesía. Al atracar, los esfuerzos del personal de la Cruz
Roja por reanimar al señor Larramendi fueron vanos.
Como no tenía familia ni amigos y la oficina donde había
trabajado en la última etapa de su vida se había disuelto,
nadie notificó su desaparición ni más tarde reclamó el
cadáver. Transcurrido el plazo prescrito por la ley para

estos casos, el 25 de julio, justamente el día en que Barcelona celebraba con redoble de tambores el venturoso inicio de su transfiguración, el señor Larramendi fue enterrado con cargo al erario público, sin ceremonia ni testigos, en un pequeño cementerio situado a escasa distancia de Son San Juan.

—Lo más esotérico del asunto —dijo el señor Llewelyn una vez hubo referido el suceso— es el nombre del yate: *The Squid.* ¿Capricho del destino? Se estremece uno al pensarlo, ¿no?

En memoria de su malhadado protector, lágrimas quedas surcaban el rostro de la señorita Baxter. Se había acabado la última gota de té y de las galletas no quedaban ni las migas. Para animar la reunión, el señor Llewelyn se levantó, abrió los postigos de las ventanas y al instante el living fue invadido por los primeros rayos del sol.

—No quisiera entretenerles más —dije levantándome del sofá—. Bastante he abusado ya de su tiempo.

—Si no le importa esperar un minuto —dijo el señor Llewelyn imitando mi acción—, me visto y le acompaño hasta la parada del autobús. Por favor —añadió al advertir un conato de cortés resistencia por mi parte—, no es molestia. Siempre salgo a estirar las piernas antes de desayunar.

Se fue y nos quedamos solos la señorita Baxter y yo.

—Durante un tiempo —dijo ella tras un silencio breve y embarazoso— estuve aterrorizada por si después de muerto al señor Larramendi se le ocurría devolverme la visita que yo le había hecho a raíz de mi presunto asesinato. —Esbozó una sonrisa como pidiendo disculpas por aquella aprensión pueril y con una inflexión más alegre dijo—: Me volveré a la cama. Dormir, no creo que duerma, pero descansaré. Hoy me espera un día movido: vienen a comer nuestro hijo y los dos nietos. —Y ante mi expresión sorprendida, añadió—: Nuestro hijo vive en Alella pero tanto él como su mujer tienen mucho trabajo y los vemos poco. No me quejo, claro. En estos tiempos... Y a la chica la tenemos en Bélgica acabando un máster. A pesar de las dificultades y los baches hemos podido darles una buena educación a los dos y esto hoy en día es fundamental. Estoy muy contenta.

El señor Llewelyn me esperaba en el recibidor, con un chándal azul marino y un bolso de tela beige en bandolera. Al despedirnos, la señorita Baxter me dio la mano. Entre bostezos, respondí a este gesto con gratitud y torpeza. A lo largo de mi vida, algunas mujeres me han dado más, muchas me han dado menos, pero muy pocas me han dado la mano.

Anduvimos hacia la parada del 20 en Bailén con Rosellón. De camino, el señor Llewelyn se agarró de mi brazo y como si hablara para sí, dijo:

—Antes no quise contarle según qué cosas delante de mi mujer. Su sola mención la entristece. Usted, sin embargo, tiene derecho a una explicación.

—No me la debe —dije yo—. Sé lo que pasó e intuyo los motivos. ¿Realmente no había otra solución?

—No a mi alcance —respondió—. Si usted hubiera seguido investigando, no habría tardado en descubrir la verdad sobre el falso asesinato de la señorita Baxter. Si le hubieran detenido antes, en el juicio se habría defendido de las acusaciones y al final todo habría salido a la luz. En ambos casos, la vida de la señorita Baxter no habría valido ni 166 pesetas. Me declaré culpable para poner punto final al caso. Una vez confirmado el homicidio y determinada la autoría, ni a la policía ni a nadie le quedaron ganas de seguir trabajando y la seguridad de la señorita Baxter quedaba garantizada. Eso sí, yo me tiré una temporada en el trullo, pero en fin de cuentas, no lo pasé tan mal.

Como era temprano, no había nadie en la parada ni se divisaba un autobús en lontananza. En vez de dejarme allí y volver a sus ocupaciones, el señor Llewelyn esperó a mi lado en silencio.

—Me condenaron a un montón de años —dijo al cabo de un rato—, pero entre la redención de pena por los servicios prestados y un indulto general por el viaje del papa a España, a los cuatro años y pico me dieron la condicional. En todo ese tiempo la señorita Baxter no me vino a ver ni una sola vez, ni me mandó una carta ni me hizo llegar un mensaje; ni siquiera una felicitación de Navidad. Ni mu. Supuse que, con muy buen criterio, se había ido a vivir a otra parte y había cortado cualquier ligamen con el pasado inmediato. Era lo más natural. Pero el día que me soltaron, me estaba esperando a la puerta de la Modelo. Sin decirnos nada, nos metimos en un taxi y fuimos a su casa. Yo no tenía a dónde ir, ni trabajo, ni dinero. Como ella tampoco había podido volver a su actividad anterior de modelo, se había empleado usando su verdadero nombre como recepcionista en la clínica dental del doctor Greis y había estado ahorrando para cuando yo saliera.

Casi no circulaban coches. Por la acera pasaba de cuando en cuando algún peatón apresurado. El aire era limpio y el sol hacía tibio el frescor matutino. El señor Llewelyn respiró hondo y se frotó las manos con satisfacción.

—Barcelona —dijo— es una ciudad de noctámbulos. Grave error. Por andar toda la noche de parranda, los barceloneses duermen hasta muy tarde y se pierden el mejor momento, el único momento en que la ciudad reencuentra su serena hermosura y su dignidad. Sólo de madrugada, con las calles casi vacías, me es posible recuperar el cariño que creía haber sentido por Barcelona en mi remota infancia.

»No me malinterprete —añadió tras una pausa y sin que yo hubiera manifestado ni de palabra ni por señas ninguna interpretación—. No soy nostálgico ni afirmo que cualquier tiempo pasado fue mejor, más bien al revés. En mi adolescencia y primera juventud vivía inmerso en la buena música del momento: ABBA, Mocedades, Diana Ross, Village People. No sólo me gustaban, sino que me sentía orgulloso de aquellas canciones y aquellos intérpretes memorables. ¡Qué ritmo, madre de Dios! ¡Qué melodías! Hoy, en cambio, ves YMCA en YouTube y se te cae el alma a los pies. No sé..., a veces tengo la sensación de haberme hecho viejo sin madurar.

El tráfico había aumentado y con él el ruido. Los peatones llenaban las aceras. Varios niños eran conducidos al colegio con desgana de los niños e irritación de sus acompañantes. Todo se agitaba en la ciudad, menos el servicio de autobuses.

—Muchas noches, como no puedo dormir —dijo el señor Llewelyn pasándose la mano por la cara—, me entretengo viendo un programa de televisión titulado «La enseña». No es muy conocido y sí muy vilipendiado, no sin fundamento, porque lo lleva un exmilitar que despotrica sin razón de todo y de todos. Es un cabrón y un majadero, no lo niego, pero difícilmente podría ser de otro modo: cada país tiene los políticos que se merece y lo mismo sucede con los críticos. Por otra parte, no es fácil poner el dedo en la llaga cuando la llaga está precisamente en el dedo, no sé si me explico. Cuidado, yo no estoy de acuerdo con la postura del tío de «La enseña»;

dice mentiras y absurdidades; sin embargo, cuando le escucho, en el silencio de la noche, solo y sentadito en mi butaca, no puedo dejar de identificarme con él. Todo lo que nos cuentan son embustes, falsa ideología barata, charlatanería deshonesta. Da lo mismo. En realidad, no hay avance, no hay progreso. Mire, por ejemplo, los transportes, públicos o privados, da lo mismo. Nuestros antepasados iban a caballo y lo dejaban todo perdido de bosta. Luego vino el carbón y con el carbón, el hollín, el puré de guisantes y las enfermedades pulmonares: silicosis, tos ferina, etcétera. Ahora, con el petróleo, ya ve usted: guerras y atentados y el calentamiento global y, encima, se está acabando. Queda la energía nuclear. Bonito recambio. ¿Se subiría usted a un autobús propulsado por la fisión del átomo? ¡Ni loco! La Humanidad avanza, pero hacia atrás. El hombre de Neandertal debía de ser más juicioso. No más guapo, pero sí mejor. Vivimos en un mundo insensato que, por si fuera poco, tiene los días contados.

Distraídos por esta charla sentenciosa, no vimos llegar el autobús. El conductor abrió la puerta y subí sin tiempo para darnos un apretón de manos, quién sabe si un abrazo.

—Gracias por todo —alcancé a decir con el pie ya en el estribo—. Cuídese y no haga caso de los mensajes derrotistas. No se los creen ni los que los propagan.

CODA

De no haber ido abarrotado el autobús, a buen seguro me hubiese sentado junto a la ventana, hubiese recostado la cabeza en el cristal y, mecido por el traqueteo, me habría vuelto a dormir de un modo feliz y fulminante. Pero como no era fácil conciliar el sueño de pie, apretado y zarandeado, me puse a repasar la información reunida a lo largo del día y me acabé bajando antes de concluir el recorrido, en la Ronda de San Pablo esquina Marqués de Campo Sagrado. Allí esperé el 64 en dirección a Pedralbes. Mientras esperaba, vi a lo lejos, recortado contra el cielo azul, discurrir el teleférico de Montjuïc. Reparadas y repintadas, incluso a aquella hora temprana las cabinas iban abarrotadas de turistas que no podían desperdiciar su tiempo si querían ver tantas cosas maravillosas como ofrecía la ciudad. Cuando finalmente llegó el autobús, subí y viajé, febril y despejado, hasta el final de la línea, precisamente frente al venerable monasterio de Pedralbes que da nombre al barrio o lo toma del mismo. El reloj del campanario señalaba las nueve. Hasta las diez no debía presentarme en el trabajo. Disponía, pues, de una hora y si llegaba más tarde, podía aducir una ligera indisposición, como hacían con frecuencia los demás empleados y todos los días indefectiblemente el jefe.

Una breve caminata por umbrosas calles graciosamente flanqueadas por hierbas aromáticas y por las que, siendo el barrio opulento, no circulaba nadie, me llevó ante la tapia de la casa que buscaba. Al fondo de la calle seguía existiendo la puerta del parque donde tiempo atrás yo había perseguido y atrapado a *Toby*. La verja de la casa había sido reemplazada por una puerta corredera de metal y el timbre por un circuito cerrado de televisión. Pulsé.

—¿Quién? —chirrió una voz a través del altavoz adjunto a la pantalla.

—Traigo un mensaje —dije.

—No le veo en el monitor.

Por instinto me había puesto en cuclillas para no revelar mi identidad a quien ocultaba la suya.

—Es que soy muy bajito —dije.

La explicación debió de resultar suficiente: hubo un runrún y la puerta corredera se deslizó suavemente por un riel. Penetré. El ameno jardín que yo recordaba era ahora una superficie asfaltada con plazas de aparcamiento numeradas de la uno a la ocho. En la pared blanca se leía:

RESERVADO PERSONAL
EVERYBODY NO PARKING AT ALL TIMES

En aquel momento sólo estaba ocupada una de las plazas por un Lexus NX300 híbrido de color blanco. No debía de pertenecer a la mujer añosa que en el umbral del edificio, con guardapolvo y pañuelo anudado a la cabeza, me esperaba empuñando un mocho.

—Nomás que ha llegado la señora Campos —dijo sin mostrar extrañeza por mi súbito cambio de estatura.

—Veré a quien haya —dije.

—Pues ahora mismo la aviso —dijo ella con desdén, como si una larga experiencia le hubiera inculcado más respeto hacia el mocho que hacia los seres humanos.

Se metió en un cuarto y por segunda vez en mi vida me encontré solo en aquel majestuoso hall. Las paredes habían sido repintadas de color salmón. En un rincón había unas butaquitas de piel blanca y una mesita redonda con revistas de economía. No me senté para que la señora Campos no me encontrara roncando. Los enormes candelabros eléctricos habían sido sustituidos por reflectores halógenos y los cuadros por un televisor de cincuenta pulgadas. Me habría entretenido si hubieran dado algún magazín matinal, pero sólo salía un locutor de mediana edad, con traje azul marino, camisa azul cielo y corbata roja que hablaba sin sonido mientras en la parte inferior de la pantalla cifras y porcentajes desfilaban por una orla a paso de carga. A veces en un recuadro en la parte de arriba a la derecha se veían rascacielos o banderas o cordiales encuentros entre Angela Merkel, Hollande, Cameron, Rajoy y otros risueños patriarcas.

—Buenos días —dijo una voz arrancándome de mi absorción—. Soy Lola Campos, ¿en qué le puedo ser de ayuda?

Acompañada de la mujer de la limpieza, había entrado en el hall una mujer guapa y maciza, vestida con austera elegancia, el pelo bien cortado y bien teñido, la expresión serena y audaz. En otra época su físico tal vez le habría permitido ser una folclórica chabacana y garbosa; la moderna y dúctil sociedad catalana y varias universidades americanas habían obrado la mutación de sus potenciales. Su examen de mí no debió de ser tan favorable como el mío de ella, porque con mordaz sonrisa preguntó:

—¿Le interesa quizá el mercado de renta fija?

—La respuesta —dije— se puede inferir de mi figura. Salta a la vista que no soy un cliente. Tampoco un periodista, ni un espía industrial. No vengo a ofrecer nada ni a pedir trabajo ni limosna. Si tiene la amabilidad de concederme unos minutos le haré un par de preguntas relacionadas con este majestuoso edificio, donde ahora su triunfal empresa encuentra merecido aposento. Si no, me iré.

—Si no le incomoda la presencia y actuación de la limpiadora, le puedo atender aquí mismo —respondió—. Mi socio está de viaje, los becarios vienen cuando les da la gana y el Nasdaq no se despierta hasta dentro de unas horas. No obstante, yo no me ocupo del mercado inmobiliario.

—Tampoco a mí me concierne este aspecto —aclaré—. Únicamente las personas. Antes de albergar esta elegante y próspera empresa, la mansión donde nos hallamos perteneció a la familia Linier, dueña de Electrodomésticos Linier y Fornells, de inmejorable rendimiento e inmarcesible fama.

—Ninguna de estas cualidades salvó a la familia de la ruina —dijo Lola Campos con la naturalidad de quien por razón de su oficio está acostumbrada a ver súbitos vaivenes y crueles mudanzas—. Por eso vendieron la casa y se buscaron un sitio más ajustado a sus posibilidades. La operación la realizaron los abogados y otros intermediarios, con la animada participación de la junta de acreedores, el juzgado y la Agencia Tributaria. Yo no intervine en nada. Lo que le cuento lo sé de oídas y de fuentes no siempre fidedignas. ¿Parientes suyos?

—¿La familia Linier? —dije—. De ningún modo. Hace muchos años tuve un contacto tangencial con la señora Linier, a raíz de la desaparición de un perro. Me encargaron buscarlo, lo encontré, lo traje y no era suyo. Acto seguido me detuvieron por asesinato, pero no la aburriré con divagaciones. La señora Linier nos trató como correspondía, al perro y a mí, sin hacer distingos.

—Sí —dijo Lola Campos—, por lo visto la segunda señora Linier era una mujer de mucho temperamento. De todas formas, el que se arruinó fue su marido, porque ella no dio nunca un palo al agua.

—¿La crisis afectó a los electrodomésticos? —aventuré.

—No —repuso Lola Campos—. Los electrodomésticos habrían podido aguantar el chaparrón. Eran malos y baratos y eso siempre tiene salida. En realidad, la catástrofe se produjo mucho antes de la crisis. Linier y otros prohombres de Barcelona se metieron en una operación de movimiento y blanqueo de capitales para invertir en el futuro de la ciudad. Como visión de futuro no estuvo mal, pero actuaron de una manera tortuosa y chapucera y se acabó enterando todo el mundo. Hoy en día eso mismo lo puedo hacer yo en cinco minutos con la tableta sin dejar el menor rastro. Linier y los suyos eran unos dinosaurios. No lo digo en tono de reproche. Cada época tiene su metodología. Andando el tiempo, yo acabaré igual o peor. Son las reglas del juego y es bueno que así sea. En esto Cataluña lleva ventaja al resto del mundo. El clásico ciclo catalán pobre-rico-preso favorece la movilidad social y previene la sobrecarga de la tradición.

Algo en la televisión le hizo perder el hilo del discurso. Entornó los párpados, siguió unos segundos el paso de las cotizaciones por la pantalla, masculló unas blasfemias y prosiguió en el mismo tono resuelto pero tranquilo:

—Vaya putada, por culpa de Mario Draghi unos cuantos españolitos de a pie se van a quedar sin postre. Y sin casa. Imagínese lo que van a decir de mí por haberles aconsejado invertir en una cosa en vez de la otra. ¿Es culpa mía? Por supuesto. Para que unos ganen otros han de perder. Tanto como les gusta el fútbol y luego no saben aplicar el reglamento a sus ahorros. Las guerras las pierden los militares, los enfermos se les mueren a los médicos y los pufos los hacemos los que manejamos el dinero. Mejor así que dejar la circulación fiduciaria y, en definitiva, la economía mundial en manos de los aficionados. Por lo menos nosotros tenemos estudios, información y experiencia. Pero sólo se acuerdan de nosotros cuando la cagamos. Y los demás, ¿qué? Vas a un restaurante de moda, pagas un congo y te sale el colesterol por las orejas. ¿Protestas? No, señor. Te aguantas y en cuanto te recuperas del garrotazo, vas al siguiente.

—¿Qué pasó con el señor Linier? —pregunté cuando hizo una pausa para respirar.

—No lo sé con exactitud —contestó—. A él y a otros miembros de APALF los procesaron. APALF, por si el nombre no le suena, era una asociación que Linier y otros ganapiés habían fundado para hacer y deshacer tarugos por consenso. Los procesaron, el juicio se alargó unos cuantos años y al final Linier entró en la cárcel. Me imagino que confiaba en que eso no pasaría. Al fin y al cabo, tenía conexiones en todas partes. Otro error. Un amigo ministro o presidente de autonomía te puede proporcionar bicocas, pero si te trincan, ni el mismísimo presidente del Gobierno moverá un dedo por ti. En la democracia, otras cosas no digo, pero el encubrimiento está mal visto. Cuando entras en la cárcel, se acabó. Linier no debió de pasar mucho tiempo entre rejas y al salir, como no había devuelto un céntimo de lo que había chorizado ni nadie se lo reclamó, siguió viviendo con holgura. Pero nunca pudo reintegrarse al circuito. Una vez te han pillado, estás fuera para siempre, de los parquets y del *¡Hola!*

En su despacho sonaban teléfonos. Sin dirigirme una mirada, Lola Campos dio media vuelta y se fue. Antes de entrar en el despacho, se volvió a la limpiadora y le dijo:

—Blancaflor, acompaña a este caballero a la puerta.

Cuando nos quedamos solos la limpiadora y yo le dije:

—¿Su nombre es Blancaflor? Qué curioso. La primera vez que vine a esta casa me recibió una doncella que se llamaba igual.

—Era yo —respondió la limpiadora—. Cuando vino la debacle, la familia se quedó sin servicio y el servicio sin trabajo. Como conocía a mucha gente del barrio, estuve haciendo horas en varias casas y a medida que se iban convirtiendo en oficinas, ofrecía mis servicios a las empresas y me contrataban. Ya me tendría que haber jubilado, pero tengo salud, estoy sola y no sabría qué hacer. El trabajo en estos sitios es poca cosa. Pasar el aspirador, vaciar las papeleras y a veces recoger las vomitonas de algún inversor impresionable.

—Ah —dije—. ¿Y se acuerda del incidente del perrito? Se llamaba *Toby*.

—Pues sí —respondió ella—. En circunstancias normales no me acordaría. En aquella familia pasaban tantas cosas raras que lo del perrito fue una insignificancia. Pero con aquel perrito ocurrió algo singular. Cuando los señores Linier se mudaron, la señora Linier fue la última en abandonar la casa. Era como si no pudiera renunciar al escenario de una etapa esplendorosa de su vida, que no había de volver nunca más. El señor Linier y los hijos la esperaban en el coche. El señor tocaba la bocina sin parar y ella no salía. Al final, compungida pero altiva, apareció en la puerta de la casa, recorrió lentamente el jardín con aquellos zapatos de tacón de aguja que llevaba a todas horas y con la cabeza bien alta cruzó la verja de entrada por última vez. Entonces, no sé de dónde, salió disparado el perrito pulgoso, mordió a la señora en la pantorrilla y se escapó hacia el parque a toda velocidad. Ella dio un grito, levantó la pierna y se cayó de bruces en la acera. Ya ve usted. El muy taimado se la tenía guardada. Dicen que en muchas cosas los perros son como las personas, y en lo de morder, tienen toda la razón.

ÍNDICE

I

II

¡Encuentra aquí tu próxima lectura!

Escanea el código con tu teléfono móvil o tableta.
Te invitamos a leer los primeros capítulos
de la mejor selección de obras.